特集

前田家当主交代 加賀百万石 継承の実像

金沢市の尾山神社境内の「前田利家公像」。東京石川県人会が2000（平成12）年に建立した

前田利家着用と伝わる鯰《なまず》尾《お》形兜《なりかぶと》（大）（尾山神社所蔵）

2023（令和5）年11月3日、金沢市の尾山神社で加賀前田家の当主交代の「奉告祭《ほうこくさい》」が営まれた。88歳を迎える18代の前田利祐《としやす》氏が、60歳の長男利宜《としたか》氏に当主を譲ることを、祭神である利家夫妻に報告したのである。19代の利宜氏は「どのように当主としての役割をお示しできるか、考えていきたい」と抱負を述べた。前田家が新時代を迎えたこの機会に、史料を通じて加賀百万石の継承の実像を掘り下げたい。

本誌編集室

奉告祭を終え、「前田利家公像」の前を歩く（右から）18代当主の前田利祐氏と萬里子夫人、長男である19代当主の利宜氏＝2023（令和5）年11月3日、金沢市の尾山神社

新当主「物心ついてから既定路線」
前当主「88歳になるのでそろそろ」

奉告祭が営まれた金沢は爽やかな快晴だった。尾山神社拝殿にゆったりとした足取りで利祐氏と萬里子夫人が姿を現した。長男の利宜氏と晶子夫人、その長男である30歳の利恭《としゆき》氏が続いた。すでに着座していた前田家事務所の関係者や加賀藩重臣「加賀八家《はっか》」の当主が頭を下げた。

祭礼の開始を告げる太鼓が響くと、一同は祭神である藩祖夫妻に向き合い、背筋を伸ばした。拝殿の外側から10人ほどが見守る。高齢の女性は「金沢の者なんで、ご当主が代わられると聞いて…」とだけささやいて、玉串を捧《ささ》げる前田一家に真っすぐな視線を向けた。

拝殿での奉告祭を終えると、一同は境内にある金谷《かなや》神社へ向かい、改めて祭礼を執り行った。同神社には2代藩主利長から17代前田家当主である利建《としたつ》氏までが祀《まつ》られている。居合わせた外国人観光客は、祭礼の内容を知るや「ワォ」と短い嘆声を上げていた。

報道陣から心境を問われた19代の利宜氏は「物心ついた頃から既定路線でした。驚きはありません」ときっぱり。身が引き締まる思いがする、と続けた。

利宜氏は東京・目黒区生まれで

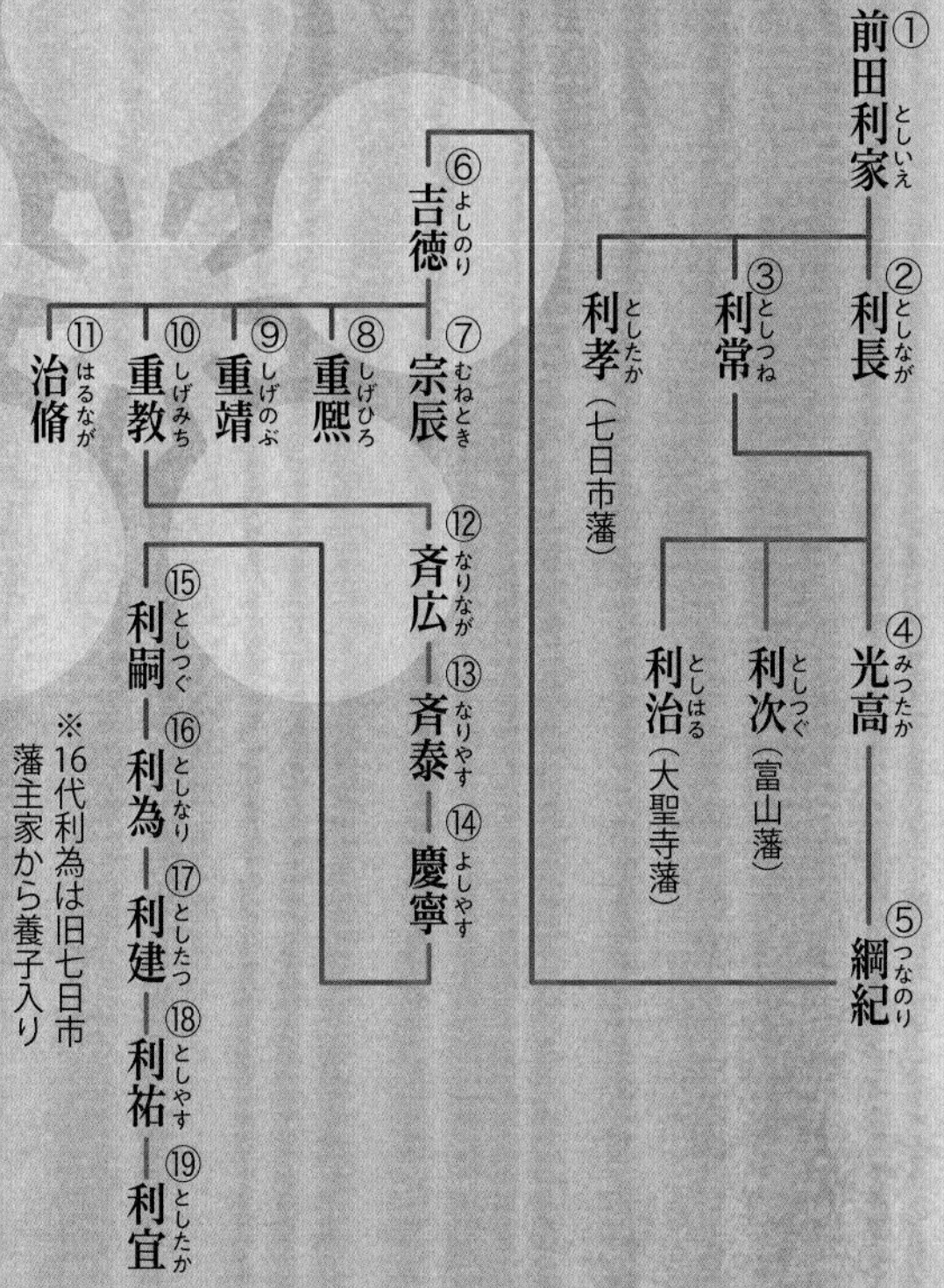

上智大を卒業後、三菱商事に入り、ブラジルやサウジアラビアなどで勤務した。２０２０（令和２）年からは京都の喫茶店「イノダコーヒ」社長を務めている。「自分なりの当主の在り方、振る舞い、役割を示していきたい」と意向を示した。

一方、18代の利祐氏は「88歳になりますので心身もそろそろ自信がなくなった。ありがとうございました」と語った。父である利建氏が死去した後、１９８９（平成元）年に当主となり、「平成の前田家」を担った。ほっとした表情だった。

前田家の一家はこの後、野田山を訪れた。藩祖利家がこの地に葬るようにと遺言した場所である。国史跡となっており、歴代の藩主、正室が眠る。祭祀は明治維新後、神式となっている。

一家は利家墓所の玉垣の内側に入って、それぞれ深く一礼、当主交代を報告した。

前田家の歴史をつむぐ新しいページが始まった。

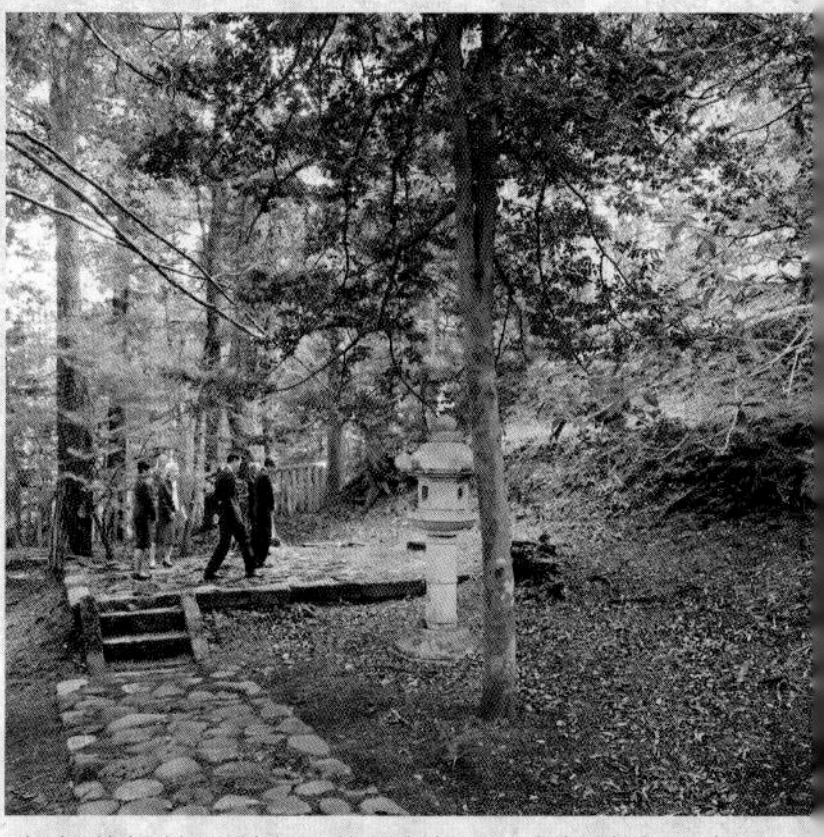
加賀藩祖前田利家の墓を参拝する新旧当主一家
=2023年11月3日、金沢市野田町の前田家墓所

ほかの大名家は？

国元で実業家／市職員／陶芸家／IT技術者

江戸幕府のもと、加賀百万石の前田家を筆頭に三百諸侯が全国各地に領地を構えていた。ほかの大名家の現状を調べてみた。

外様大名として、前田家に次ぐ77万石だった薩摩藩。中世以来の系譜を継いでいる。

現当主は32代の島津修久《のぶひさ》氏で、その名も島津興業の会長を務める実業家である。国元である鹿児島市に本社を置く株式会社で家紋の「丸十《まるじゅう》」を掲げて、幅広い事業に取り組んでいる。公式ホームページによると、大名庭園である仙巌《せんがん》園《えん》、博物館である尚古集成館《しょうこしゅうせいかん》を経営、加えてゴルフクラブ、林業、砕石業などを営む。

◆　◆

戦国時代末期、「独眼竜《どくがんりゅう》」として奥州に武名をとどろかせた伊達《だて》政宗《まさむね》の子孫、伊達泰宗《やすむね》氏は仙台市にある「伊達家伯記念會《だてけはくきねんかい》」株式会社の会長を務める。伊達家としては34世、仙台伊達家としては18代当主である。

同社は商標登録されている家紋「竹に雀」の管理、「仙台藩作法」の普及活動にも取り組んでいる。

◆　◆

首相を務めた熊本藩細川家18代当主の細川護熙《もりひろ》氏。細川家の美術品を受け継ぐ永青《えいせい》文庫の理事長は２０２３（令和5）年6月に、長男の護光《もりみつ》氏に交代した。

次期当主の護光氏は陶芸家で、国元の熊本で窯《かま》を開いている。室町幕府の管領《かんれい》家出身の名門である。２０１８（平成30）年に東京・文京区で開かれた「殿様サミット」で護光氏は「全国のあちこちに菩提寺《ぼだいじ》があり、維持管理が大変」と語っていた。

◆　◆

譜代大名最大35万石、彦根藩井伊家の18代当主である井伊直岳《なおたけ》氏は彦根市職員で現在、市文化財課

前田家当主交代 加賀百万石 継承の実像

奉告祭を終え、報道関係者の取材に応じる前田家19代当主の利宜氏（右）。18代当主の利祐氏はほっとした表情を浮かべた＝2023年11月3日、金沢市の尾山神社

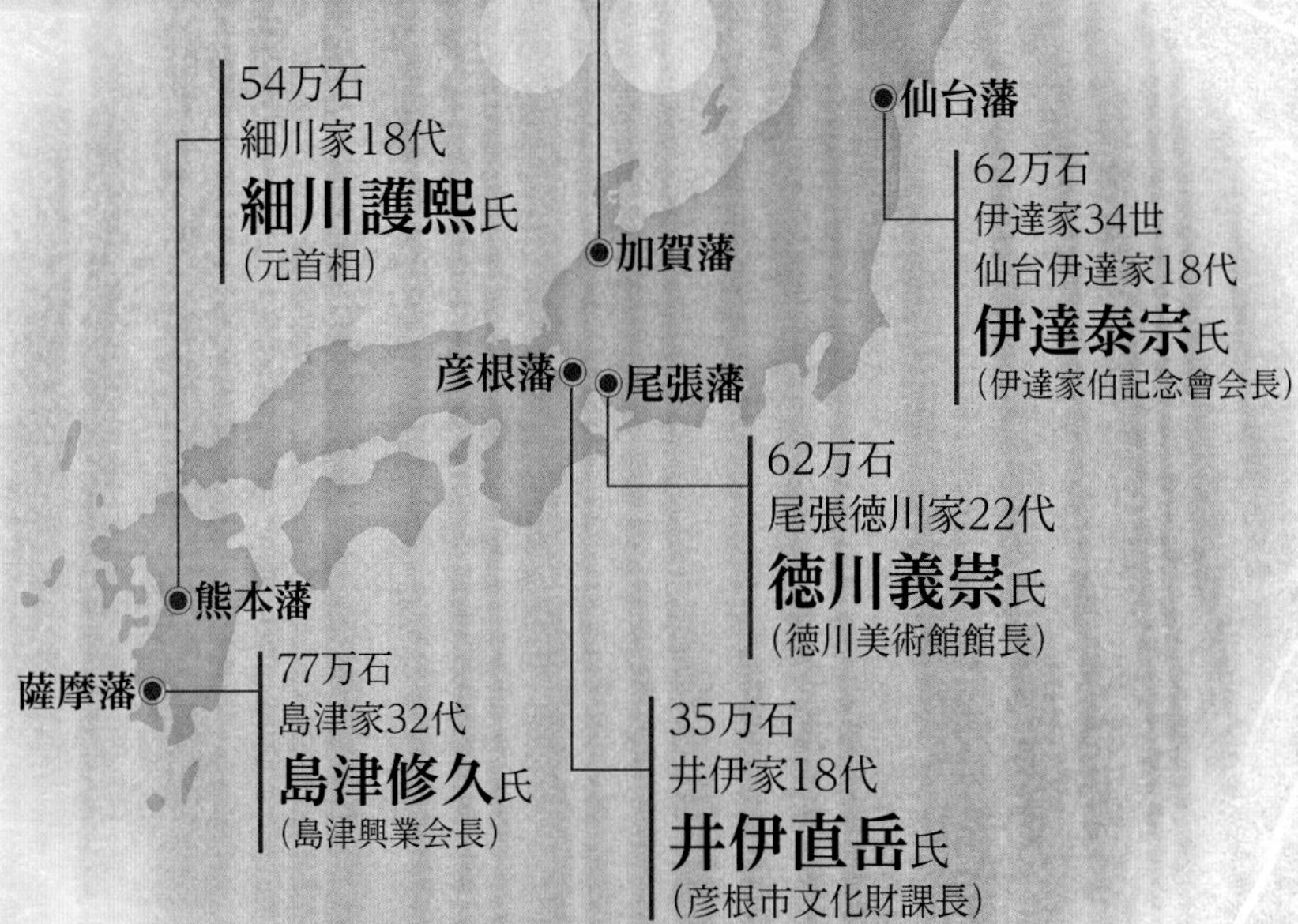

長である。

世界遺産登録のための暫定リストに入った彦根城など文化財行政を担当する一方、当主として彦根城博物館の館長に就いている。イベントによっては市長よりも上席に座る場合もあるようだ。

◆　◆

異色なのが江戸幕府の「御三家」筆頭である尾張徳川家だ。22代当主の徳川義崇《よしたか》氏は名古屋市にある徳川美術館館長を務めているが、もともとはインターネットの技術開発に取り組むIT技術者。個人ホームページを拝見すると、ネットワーク関係を中心に内科開業医用のレセプト（診療報酬明細書）発行システムや高校の成績処理システムの開発にも携わったという。

自身をモデルにしたキャラクター「トクさん」が徳川美術館を案内するという企画を展開したこともある。

「じゃこ天」発言で謝罪の知事は

大名家とは別枠だが、本特集を編んでいる2023（令和5）年11月時点で、一番注目を集めている武門の末裔《まつえい》は、佐竹敬久《さたけのりひさ》秋田県知事だろう。10月に秋田市内で講演し、四国で味わった食事について「メインディッシュがいいステーキだと思って開けたら、じゃこ天です。貧乏くさい」と発言、謝罪を余儀なくされた。

4期目の佐竹知事は清和源氏の流れをくむ常陸《ひたち》の戦国大名の子孫。秋田藩佐竹家の一門、佐竹北家の21代目当主である。

記者会見で「貧乏くさい」発言を謝罪する佐竹敬久秋田県知事＝2023年10月、同県庁
（写真提供:共同通信社）

徳川宗家「気負わず、愛を形に」

天下を束ねてきた徳川宗家はどうか。19代当主となった徳川家広《いえひろ》氏は国連食糧農業機関に勤務した。現在は政治経済評論家で参院選への出馬経験もある。23年1月に代替わりしたばかり。北國新聞社のインタビューに「気負わず金沢への愛を形にしていってほしい」と、加賀百万石を継承することになった前田利宜氏を励ましていた。

日曜特番

徳川家当主「外様だが頼りに」

本社インタビュー

徳川家康から続く徳川宗家19代当主として今年1月に家督を継いだ徳川家広氏(58)が北國新聞社のインタビューに応じ、江戸時代に姻戚関係にあった前田家について「いわゆる外様だが、非常に頼りになる」と信頼感を口にした。19代当主として家督を継ぐ利宜氏には「気負わず金沢への愛を形にしていってほしい」とエールを送った。

宗家19代家広氏 前田家にエール

前田家18代当主の利祐氏と、家広氏の父で徳川宗家18代当主の恒孝氏(83)はともに日本郵船に勤めた間柄。恒孝氏が「徳川記念財団」を設立する際には利祐氏に助言を求めたといい、「遠縁の親戚のように思っている」と話す。

老舗喫茶店「イノダコーヒ」社長の利宜氏とは面識がないものの、「（徳川家康にゆかりのある）静岡はお茶どころだが、私はコーヒー党」とジョークを交えて親しみを語る。当主の務めについて「重荷には思わないでほしい。苦しむことのない仕組みは利祐氏も周囲も考えている」と、重責を担う立場を気遣った。

家広氏は今年1月1日に恒孝氏から家督を継ぎ、同29日に東京・増上寺で開かれた「継宗の儀」で、親族ら関係者に60年ぶりの代替わりを報告した。「父から受け継いだものを大切に守り、歴史の理解に資する事業にも貢献していきたい」と意欲を語る。

当主として神事や仏事に関わりながら、徳川家ゆかりの史料の整理に力を注ぎ、データベースの構築を進める。動画サイト「ユーチューブ」で世界に向けて英語で「徳川家」「江戸時代」を発信することも考えているという。

放映中のNHK大河ドラマ「どうする家康」は「どちらに転んでも大変な中でさまざまな選択をしていく様子がうまく描かれている」と評価する。変化の激しい現代の当主として「私も年がら年中、『どうする』ですよ」と相好を崩した。

とくがわ・いえひろ　東京都出身。慶応大卒後、米国に留学。国連食糧農業機関（FAO）に勤務した。2000年末に帰国し、フリーの翻訳家、政治経済評論家として活動。21年6月から徳川記念財団理事長。

当主の役割について語る徳川家広氏＝都内

徳川家広氏のインタビューを報じた2023年10月8日付北國新聞朝刊

初詣
尾山神社
加賀藩祖前田利家公、正室お松の方をお祀りしています。
令和5年、創建150年を迎えました。
尾山神社
金沢市尾山町11の1
お問い合わせ
TEL.076-231-7210
お祓い時間、授与所・御朱印受付時間は公式ホームペ
(http://www.oyama-jinja.or.jp/)をご確認くだ

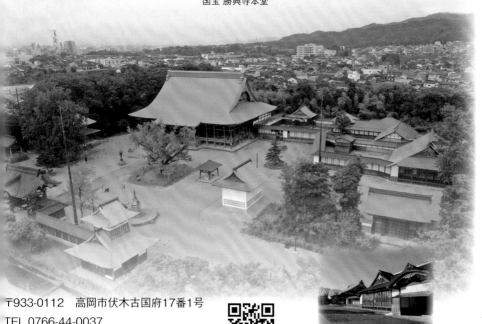

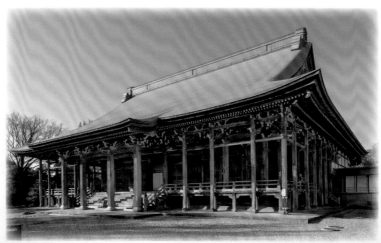

特別インタビュー

父利家を裏切った利長

名家に欠かせぬ跡継ぎ養成プログラム

作家　安部　龍太郎

令和の世に行われた加賀前田家の当主交代。藩祖利家に始まる系譜をひもとくと、相続の難しさ、受け継ぐ「家」の重みが浮かび上がってくる。北國新聞・富山新聞で「銀嶺《ぎんれい》のかなた―利家と利長」を連載する作家の安部龍太郎さんに歴史が示す当主交代の役割、意義について尋ねた。

（聞き手は宮下岳文編集長）

――加賀前田家の当主が18代の前田利祐《としやす》さんから長男の利宜《としたか》さんに交代するというニュースを最初に報道したのは、地元紙である北國新聞・富山新聞の２０２３（令和５）年９月30日付朝刊でした。北國新聞は１面トップ記事でした。先生は、どのように受け止めますか。

地元紙で大きく扱われるのは確かに異例ですね。珍しいことだと思います。僕は福岡県出身で、江戸時代には黒田藩、有馬藩、柳川藩などの大名家に分かれていました。それぞれの地域で親しまれ、藩主のご子孫がおられることは知られていますが、その当主の交代が、これほど大きく扱われるということはないと思います。きっと、他の県でもほぼ一緒。加賀百万石ならでは、と言えるかもしれません。百万石まつりを受け継いできた関係者の方々による努力のたまものと思っています。何よりも県民、地元の方々にそれが支持されているということがある。百万石という特殊性と、それを大事にしていらっしゃる北國新聞さんの方針もありますよね。それがミックスしてこういう記事になったんだろうな、と思って読みました。

――ありがとうございます。「記事を読んでいるときに自然と背筋が伸びたような感覚にな

等伯忌の法要で手を合わせる安部さん（右）＝2023年2月、七尾市の日蓮宗本延寺

安部 龍太郎(あべ・りゅうたろう)

1955(昭和30)年、福岡県生まれ。久留米工業高専卒業後、図書館勤務の傍ら、90(平成2)年『血の日本史』で作家デビュー。2005年『天馬、翔ける』で中山義秀文学賞、13年、七尾出身の画聖、長谷川等伯を描いた『等伯』で直木賞。歴史時代小説を数多く手掛ける。本誌で「等伯との旅」を連載した。等伯を顕彰する「等伯会」の名誉会長も務める。現在、北國新聞・富山新聞で「銀嶺のかなたー利家と利長」を連載中。

りました」との読者からの投稿もありました。地元の人々の前田家への感情については、いかがでしょうか。

自覚を呼びさます契機に

地元の英雄を大河ドラマにしようという運動は全国にいっぱいあります。どこの地域の方も、「地元の英雄をNHKの大河ドラマにしたいけれども、あんた小説を書いてくれんか」みたいな話が結構あります。地元の英雄と自分がつながっているということは一つの誇り、自尊心です。高校野球の甲子園大会で地元の出場校を応援するように。僕も福岡を離れてもう40年以上になりますけれども、今でも甲子園を見ると福岡の高校を応援したくなります。

石川県、富山県には加賀百万石という日本一の藩があって、藩祖の前田利家をはじめ多くの英雄たちが出ています。それと結びついて郷土愛が熱烈に受け継がれているのは当然のことだろうと思いますね。郷土の英雄たちへの愛情、誇りというものが、「自分もしっかりしなければ」という自覚を呼びさます契機になるんでしょうね。

——他の地域と比べ、加越能の地域感情というのは特異な面があるようにご覧になりますか。

県民性というものが大きいと思います。北陸という風土に生きてきた人たちの性格とか気質が、他の地域とは違うものを生み出しているんだと思うんです。雪国ですから。これは拙作『等伯』を書いたときにも思ったことですが、あまり自分の意見は主張しないけど、信念は固く持っている。信念の中核を成すのが郷土への誇りだったり、家族愛だったりすると思うんです。

それが、加賀百万石に向けても重なっているように思います。あまり他にはないような県民性ではないでしょうか。そういう地域性が見えるように思います。

——前田家のような旧大名家に限らず、皇室も、家族経営の企業でも代替わりは大きな意味を持ちます。令和の今、一つの家が血をつないでいく「当主交代」をどうお考えですか。

当主交代、あるいは事業、家や組織の継承、これは本当に難しいと思いますね。優れた人であればあるほど、影響力の大きな人であるほど、周りからは余人をもって代えがたいと見られていると思います。そうすると本人もその地位を手放したくなくなる。自分でなければ務まらないという思いになるのではないでしょうか。年を経たリーダーには場数を踏んできた経験というものがある。自分でなければ、難局は乗り切れないだろうという場面は多い。その次がどうなるかという問題まではなかなか手が回らないものです。

教育で息子を引き上げる

もう一つは、後継者をうまく育てられているかどうか。事業の場合でも後継者を育てるのは大変難しいけれども、例えば大名家のような家、あるいは皇室のような家ではどうか。特に自分の息子の場合ですね。ちゃんと教育して自分のレベルまで引き上げるのは大変に難しいことだと思います。戦国大名でも、2代目がだめで家が潰れる例が数多くあります。

これを克服する良い方法は、京都の商家のように、婿養子《むこようし》を取るという方法です。優秀な人物を外からお迎えする形で、家を継承していく。または、明文化された家訓をしっかりと作り上げて毎朝読み上げる。そうやって家の伝統、精神、やり方をみんなで受け継いでいくという手段も取られました。

江戸時代はいわゆる持続可能な社会でした。260年も社会が持った一つの要因は、士農工商それぞれの職業が家によって継承される制度をとっていたからです。

家業の継続を前提とすることで安定した社会を築いていく以上、当然、大名家は上に立つ「士《し》」として模範を示さなくてはいけない。その「士」家の連続が領民たちの家の連続を保証することもあって、家臣や領民の安心感にもつながっていった。これが今でも家系を重視するモチベーションになっていると思います。

――そういう意味では当主交代がうまくいかなければ、混乱が生じます。「本能寺の変」も織田信長と後継者である信忠が一緒に亡くなってしまったことがその後の戦乱の原因です。先生はバトンタッチの上で重要な要素は何だと考えますか。

「公」を担う責任と自覚

当主自身が組織を守る、その自覚と責任を持つことですね。うまく継承するための修業、修練を積むことです。

各地の大名家の御家騒動などを見ると、よくあるのが正室がいるのに側室を溺愛《できあい》し、側室の子を後継者にする。それで正室の子どもとの間で対立が起こり、大名家の内部が両派に分かれて争うという図式です。

この場合の当主は、当主としての地位を私物化していて、自分の心をコントロールできていない。大名は儒教や朱子学を行動規範とすることで、自分の心の修練を積む必要があります。自分の地位が社会的な機関、つまり公器であると常に意識しておかなくてはいけない。会社の創業社長さんも、「私が作った会社だから」ではなく社会的な一つの「器」ですから、公を担う責任と自覚を持つことが非常に重要だと思います。そのためにも家訓、社訓というものを作って、しっかりと精神を育てることが大切です。跡継ぎ養成のためのプログラムを確立しておくことも欠かせません。

――現在、北國新聞・富山新聞で執筆されている「銀嶺のかなた―利家と利長」にも今後、加賀藩祖である利家と2代利長の継承という場面が出てくるのではないでしょうか。利家は1598（慶長3）年に長男である利長に家督を譲っています。藩祖から2代へ、継承のタイミングをどのように先生は見ますか。

利家自身も、老化や体調不良みたいなものを感じていたと思います。この年まで前面に立っていたのは、同い年の天下人、豊臣秀吉に対する「政権を支えなければいけない」という責任感でしょう。家督を譲った後の同年8月に秀吉は亡くなっています。

負の遺産残さない

もう一つは政治的責任です。朝鮮出兵は惨憺《さんたん》たる結果で、豊臣政権は混乱しました。利家は政権のいわばトップとして、朝鮮出兵を主導して失敗したわけですから、政治的責任がある。身を引いて責任を取ったという面があります。

長男である利長は37歳になっています。十分に後継者として成長したという見極めができた。次の世代を担うにふさわしい男に育ってくれたという父としての思いもあると思います。身を引くことで、利長に負の遺産を残さないようにしようと考えたわけです。

同じ年に利家は次男の利政《としまさ》に、能登一国を任せる措置もとっています。万が一、利長が倒れても利政は残る。前田家の将来を見据えて布石を打ったということですね。

——豊臣政権の中枢、五大老としての利家の政治的責任というのは、加越能からは見えにくい面です。勉強になりました。禍根を残さないようにするということですね。

利長の決断、片山斬《ぎ》り

そういう意味で、利家はかなりギリギリの線で利長に譲ったというところがあります。

利家が死んだ後、1週間ほどで利長は重臣だった片山延高《のぶたか》を誅殺《ちゅうさつ》しています。記録には、利家が「あいつはもう20年以上、わしに仕えているけれども、決して油断してはならぬ」と遺言を残したと書かれているけど、僕、これは嘘だと思うんです。

利長は「もう父の方針では駄目だ、そこから離れる」という決断をしたと思う。これに対して片山は「利家の遺言には絶対に従わなくてはいけない」と主張したんでしょう。

確かに利家は遺言で、大坂にあって豊臣政権を支えた自分と同じ役割を果たせ、と述べています。ところが利長はわずか5カ月後に遺言に従わず金沢に帰ってしまう。今まで利家は秀吉と二人三脚で豊臣政権を作ってきたけれども、自分はその役割を担わないという意思を強く示したわけです。

遺言に従うか、従わないか。利長と片山との間で争いが起こり、利長は片山を斬《き》ることで「遺言には従わぬ」という方針を全家臣に表明したんだと思います。片山と同じ考えのものは分かってい

「銀嶺のかなた−利家と利長」の取材で賤ケ岳を訪ねた安部さん
=2023年8月、滋賀県長浜市

るだろうな、と威嚇《いかく》したんだと思うけど、記録には「家臣と対立して斬った」なんて書けないじゃないですか。

「心優しい男」の覚悟

相当な決断のいることです。グズグズと決断ができないまま迷っていると、前田家そのものが泥沼に沈むだけ。そこで決然と片山を斬った。利長は、本当は心優しい男であると僕は思っていますが、政治家としての覚悟がそこに見えます。

利長はこの後も、実母の芳春院《ほうしゅんいん》(まつ)を徳川家康に人質に差し出して屈服した弱腰の男という後世の評判があります。実はこれ、明治維新後に広がった豊臣びいきの誤った見方です。当時は人質は政治的な手段の一つで、秀吉もやっていました。ごく普通のことだったんです。

——2023年1月1日付の北國新聞・富山新

聞掲載の歴史学者・磯田道史さんとの対談で先生は「世代間ギャップがあることこそが、前田家の強みになっていく」と指摘していました。利長の決断の背景には、利家が見てきた時代と、利長が見る世の中の違いがあるようです。

利家は戦国第1世代で、利長は第2世代。感覚や考え方は違う。時代の環境の差だと思います。利長は豊臣政権のやり方に納得できないし、むしろ平和の世を築くという点では、家康の政治とか思想の方がこれからの世の中に近いと考えたと思うんですよ。もし利家の遺言に従おうとすれば、豊臣政権を守ろうとしたと思いますが、そうしていたら宇喜多家のように滅びていたのではないでしょうか。

利長は、自分の政治的なセンス、時代を見極める目が利家とは違った方向性であったから、あの時代の激動に対応することができた。

親を正当評価する目

卑近な例で言えば、ある中古車販売会社のように、創業者である親父のやり方を息子が生半可な知識で形だけまねようとしても、失敗を生むわけです。親を正当に評価する目を2代目の子どもは持っておかなくちゃいけない。親を絶対視せずに、反抗するぐらいがちょうどいい。親と子が互いの違いを認め合いながらも相手を尊重する関係が理想ですね。利家と利長の間ではそれができた。「銀嶺のかなた―利家と利長」のテーマもその辺りです。

――葛藤を乗り越えて、一つの家を後世へとつないでいく当主のプレッシャーをどう見ますか。

江戸時代の大名が家を継ぐ条件は、17歳以上で、将軍への「御目見《おめみえ》」（主従関係を結ぶための拝謁）を済ませているという二つがありました。譲る方は、後継者が17歳になるまでは元気でいなければならない。後継者も心身ともに健康であることが求められる。大前提として男の子が生まれるかどうかという問題もある。もしいないのならば早めに跡継ぎを決めて、将軍に御目見の儀式を済まさなくてはいけません。この三つをくぐり抜ける必要があります。

先代当主が突然亡くなったり、逆に御目見を済ませた後継者が急死したり、あるいは後継者が極めて病弱だったり、性格的に任にたえなかったりと非常に苦労は多かったと思います。

もし断絶の事態となれば、会社だったら倒産のようなものですから。家老や側役《そばやく》が回避するために手を尽くします。幕府にもあらかじめ相談します。相続を通じて幕府は大名をコントロールして支配力を高めていたと思いますね。

――明治維新後、前田家は国元を離れます。実は私たちが思い浮かべる「加賀百万石」「文化大名」というイメージは、近代以降に築かれたとの指摘があります。先生はどのようにお考えになりますか。

「強みは文化」を発見

近代の前田家のイメージ戦略を取り上げた本康《もとやす》宏史《ひろし》さん（金沢星稜大特任教授、28ページに寄稿）の論文「『加賀百万石』の記憶」（日本史研究525号、2006年）を拝読しました。明治維新はいわば、薩長藩閥政権ですから、そうではなかった加賀藩が新しい時代にどう対応するかが課題でした。前田家は皇室とのつながりを深め、文化行政に優れた藩であったということをアピールしていったというのが本康さんの指摘でした。非常に

前田利家とまつを祭神とする尾山神社を見学した安部さん(中央)。当主交代を同じ場所で報告した前田利宜さんに、歴史と伝統の先進的なシンボルとしての役割を期待する=2023年8月、金沢市内

新鮮で、腑《ふ》に落ちました。

維新の結果、加賀藩は大きなハンディキャップを負いました。明治新政府に人材を次々と送り込むことはできないわけです。これをどう挽回するか。前田家の人たちだけでなく、旧加賀藩全体の問題だったわけですね。

もちろん無から有は生まれません。前田家は加賀百万石の時代に芸能や美術工芸を生み出してきた前提があります。強みは文化だ、と発見したわけです。

確かに僕も金沢に行って、今でも感じることですけれども、江戸の武家文化と京都の公家文化がいい感じで融合されて、加賀文化になっている。これは維新後に京から江戸の地に連れて行かれた皇室や公家の方々が、加賀文化に共感を抱く一つの理由になっていると思います。それならその戦略で行こうということになったんじゃないでしょうか。

——歴史的な系譜がつながっていることが、当地に暮らす人々の心のよりどころ、安心感にもなっているようです。「家」というものの役割が薄れた時代であります。今後の新しい前田家と、旧藩領はどのような関係が望ましいでしょうか。

江戸の思想、現代に復活を

現代では地域社会が崩壊しています。特に都市部では、個人がむき出しのまま生きなければいけない状況です。都市の過度な人口の集中が精神的、生活的な荒廃を招いている。少子化の原因もそこにあると思います。

家にも地域社会にも守られないまま、女性は子どもを産みたくなるでしょうか。50歳時の未婚率は男性が約3割、女性が2割です(※)。家にも地域社会にも、結婚生活を保護する力がない状況に陥って、日本社会の問題になっています。

なぜこうなったのか。江戸時代の社会制度を明治政府がみんな否定したからだと思うんです。中央集権、重商主義、富国強兵。人口をすべて大都市に集中させる。終戦後もこのシステムが続いてきた。日本の行き詰まりの原因だと思います。これを乗り越えるためには、地方分権と地方の再生が絶対に必要だと、僕は考えているわけです。

この点、金沢は江戸時代の政治・社会システム、道徳観を日本でも一番よく残している場所です。江戸時代の持続可能な思想や政治システムを、現代に沿った形で復活させるのに最適の土地だと思っています。

新しい前田家のご当主は、歴史と伝統の一つの先進的なシンボルとして、石川、富山県の人たちのよりどころになる役割を果たしていただけたら、大変いいのではないでしょうか。

※2022(令和4)年の国立社会保障・人口問題研究所調査に基づく

『加賀藩史料』が語る藩主交代劇

本誌編集室

解説・宇佐美　孝
（元金沢市立玉川図書館近世史料館長）

前田家はどのように「家」を継いできたのか。昭和初期に前田家が編纂《へんさん》した『加賀藩史料』から は、近世の「藩主交代劇」が見えてくる。金沢市立玉川図書館近世史料館の元館長、宇佐美《うさみ》孝さんの解説で読み解いた。

「秀頼公、見届《みとどけ》奉《たてまつ》るべき」

藩祖利家→2代利長　1598（慶長3）年4月

加賀藩祖前田利家から長男である2代利長への相続は1598（慶長3）年4月20日のことだ。翌年3月21日、まつの代筆で利家は利長にあてた遺言を残す。「十一カ条の遺誡《いかい》」として伝わる。最初に記したのは、自身の葬儀の指示だった。

1条目は、遺体は大坂から金沢に運び、野田山に埋葬する指示だった。「夜話集」という史料にはいっている。死に装束に経文をしたためた経帷子《きょうかたびら》を着せる必要はないとする。「自分は乱世に生まれて、あちこちの戦場に赴いて敵する者を殺してきたが、理由のない人を苦しめてはいない。何の罪があって地獄で迷うだろうか」との趣旨を利家は述べた。

遺誡の2条目は、秀吉の後継である秀頼を守護するようにとしている。豊臣家の先行きを憂い「せめて五、七年の余命あらば、秀頼公天下を治《たま》め給わん様をも見届《みとどけたてまつ》奉るべきを、人生限り有《あ》る事《こと》かなし」という思いを「夜話集」は伝えている。

徳川家康が台頭する中での無念が伝わる。遺言の10日余り後、閏《うるう》3月3日朝、利家は没した。62歳だった。

利家の死をめぐっては、毒殺説も伝わる。利家の小姓《こしょう》・村井勘十郎の記録をまとめた「利家夜話」がそれである。朝鮮出兵の講和交渉のために来日した明《みん》の使節・沈惟敬《しんいけい》が「不老長寿の薬」なるものを豊臣秀吉と利家に贈ったが、これが実は毒薬だったという。秀吉の死の翌年に利家が逝去するタイミングから「荒唐無稽《こうとうむけい》な話が出たようだ」と宇佐美さんは話す。

「羽柴肥前守《はしばひぜんのかみ》」、苦渋の決断

2代利長→3代利常 1605(慶長10)年

2代利長は1605(慶長10)年6月、異母弟の利常に家督を譲り、隠居した。この年4月16日、征夷大将軍である徳川家康が息子の秀忠に将軍職を譲ったばかりで「徳川の天下がこれで固まったと利長は判断したのでしょう」(宇佐美さん)。安部龍太郎さんが今号の特別インタビューで指摘し

3代利常の正室、珠姫をまつる天徳院の山門。徳川家との婚姻関係は珠姫から強まっていった＝金沢市小立野4丁目

たように、利長は、前田家の存続のために父の遺言には従わなかったが、なお徳川家から疑惑の目で見られていた。

利長は6月16日、豊臣政権から正式に退く決意を固め、利家の代からの家臣に「誓紙《せいし》」を提出させた。家臣たちの忠誠を確かめたのである。その上で6月28日、13歳である異母弟の利常に家督を譲った。

利長は後継となる利常に、徳川秀忠の娘である珠《たま》姫を正室に迎えさせた。宇佐美さんは「利常は豊臣の色が薄く、『将軍家の婿』とさせた。利長は前田家存続のために引かなければならないと考えた苦渋の決断」と読み解く。豊臣から徳川へ、明確な政策転換を示したのである。

利長の内心はあくまでも豊臣政権にあり、書状の署名には最期まで「はひ」を用いた。秀吉から賜った羽柴肥前守《はしばひぜんのかみ》の略で、豊臣の大名であるという意識を持っていたというのだ。
隠居から9年後の1614(慶長19)年5月、利長は高岡で死去する。10月には豊臣家が滅亡する大坂の陣が始まっている。その前にわが身さえも消し去ろうとしたのか。服毒自殺説が18世紀初頭の書物「懐恵夜話《かいけいやわ》」にある。「御家を大事に思召《おぼしめし》」、加越能三カ国の民を思う「御仁愛」から毒を飲んだのだという。利常は大坂へと出陣、豊臣家の滅亡に立ち会っている。

31歳で急死、暗殺説流れる

4代光高→5代綱紀 1645(正保2)年

4代光高は1645(正保2)年4月5日、江戸で亡くなる。初めて見舞われた当主急死の事態だった。同時代史料の「御日記」によると、この日朝、光高は茶の湯に幕府首脳の老中を招いていた。数寄屋《すきや》で茶をたてようと支度する間に「頓死《とんし》」したという。

31歳での死に、「加賀の筑前(光高のこと)下戸なれど三十一で病死をぞする」などと、臆測が飛び交った。

光高は「前田家歴世中の明君」として名高く19世紀に編まれた「越登賀三州志《えっとがさんしゅうし》」によると、将軍徳川家光が3代利常に「養子にしたい」との意向を伝えるほどだった。4代将軍となる徳川家綱が生まれる前であり、将軍家も跡継ぎに困っていたのである。

その期待が仇《あだ》になったのか。『加賀藩史料』が引用する史料「夜話之抄《やわのしょう》」は、「陽広公《ようこうこう》(光高)は幕吏《ばくり》の為《た》めに毒殺せられ給《たま》うよし」と記す。家光が光高を養子にしようとしているといううわさを聞いた幕府の役人が「天下が前田家に渡る」と危機感を抱き、事に及んだというのだ。別の史料は側仕えの小姓によって殺されたとしている。

「光高に対する周囲の期待が大きく、突然の死がこのような話を作り出したのでしょう」と宇佐美さんは語る。

前田家にとって幸運だったのは、隠居中だった3代利常が健在だったことだ。光高の長男で、3歳で藩主となった5代綱紀を後見したのである。利常の死後は、名君とされる会津藩の保科正之が後見人となった。綱紀は歴代最長となる78年間、加賀藩主の座にあった。

徳川家からの後継、重臣反対

10代重教《しげみち》→11代治脩《はるなが》 1771(明和8)年

綱紀の長男である6代吉徳《よしのり》の息子たちはいずれも短命だった。吉徳長男の7代宗辰《むねとき》を皮切りに弟、そのまた弟へと相続された。8代重煕《しげひろ》、9代重靖《しげのぶ》と早世が続き、ついに後がなくなり「前田家存続の危機」(宇佐美さん)を迎えた。

きっかけは10代重教《しげみち》(吉徳七男)の後継とされていた弟の利実《としざね》(吉徳九男)が死去したことだった。1766(明和3)年5月だった。

後継が決まらぬまま重教は「隠居したい。藩主は徳川家から迎えてはどうか」と言い出す。徳川家と前田家の婚姻関係はすでに150年以上を経た。藩主は御三家に準ずる「松平《まつだいら》加賀守《かがのかみ》」である。徳川家への強い親近感をうかがわせる主張だった。

しかし、重臣たちは反対した。『加賀藩史料』には「御《おん》家《いえ》御《おん》正統《せいとう》の御《おん》筋目《すじめ》」「御《おん》元祖《がんそ》様《さま》以来《いらい》嫡々《ちゃくちゃく》御《おん》相続《そうぞく》之《の》血脈《けつみゃく》」とある。利家からの系譜を絶やさないというのが後継の条件だと主張したのである。

富山藩、大聖寺藩から迎えることをも検討した後継者探しで、吉徳の「御末子様《おんまっしさま》」の存在が浮かんできた。越中伏木の浄土真宗本願寺派寺院、勝興寺の住職となった十男、後の治脩《はるなが》である。「2歳で寺に入ることが決まった末弟の存在は薄かったのかもしれない」と宇佐美さんは話す。

重教は1768（明和5）年3月、治脩を還俗させ後継にしたい、と表明する。この意向を5月に勝興寺に伝えるが、結果は「見合わせたい」。そもそも勝興寺は蓮如上人が開いた古刹《こさつ》。住職の治脩は「本願寺門跡《もんぜき》の子に等しい」と取り合わなかったのである。6月には治脩自身も「武門の儀についてはおぼつかない」と辞退の意向を示した。

しかし、引き下がれば「御家」は絶える。加賀藩は京都の西本願寺に働きかけた。5代綱紀の孫娘に当たる有栖川宮職仁《ありすがわのみやよりひと》親王妃が口添えした。

結果、西本願寺は8月、治脩の還俗について「差し支えなし」と回答する。ここでついに治脩も腹を固め9月15日に「御家のため、忠孝と考え…」と還俗を決める。半年がかりの交渉だった。以降は38ページからの「家督相続ドキュメント」に詳述している。12代には重教の子、斉広《なりなが》を立てた。

「時勢も鑑《かんが》みて」の真意は？

13代斉泰《なりやす》→14代慶寧《よしやす》 1866（慶応2）年

前田家の当主が生前に後継者にバトンを渡した直近の例は1866（慶応2）年、13代斉泰《なりやす》から14代慶寧《よしやす》への交代である。宇佐美さんは「相続前に官位を得て継嗣《けいし》（後継者）として幕府に認められており、整った形で継承できた例ではないか」と語る。

ただし、当時の加賀藩は幕末の激動の中にあった。勤王か、それとも佐幕か。1864(元治元)年7月に起きた「禁門の変」の結果、京都で加賀藩兵を率いていた慶寧は謹慎処分となっている。慶寧は蛤《はまぐり》御門に押し寄せた長州藩との橋渡しを図ったものの、調整が付かなかった。幕府の命に従わず兵を率いて京都を離れたのである。

「このころ、斉泰と慶寧は藩の方針として『公《こう》武一和《ぶいちわ》』の立場をとっていた」と宇佐美さん。しかし、京都を去ったのは悪手だった。朝廷や公家を守護しなかったという点では勤王でもないし、幕命に背いたという点では佐幕でもない。禁門の変後、慶寧に付き従っていた家臣に切腹を申しつけることで加賀藩は事態の収拾を図る。もしも、幕府の支配体制が揺らいでいなければ、さらに重い処分も想定されたという。

慶寧は翌年4月に謹慎を解除されるが、そのさらに翌年である1866(慶応2)年3月に、斉泰は藩主の交代を幕府に願い出る。「病気もままならず、療養していますが、老年(55歳)でもあり健康は優れません」という口上で、4月に許可された。この隠居願いには意味深長なくだりが入っている。「時勢も鑑《かんが》みて」という一文である。宇佐美さんは「『新藩主を立て、幕府にいっそう奉公しますよ』とも『加賀藩は逃げますよ』ともとれる」と指摘する。幕府の支配が大きく揺らぐ中で、前田家をどうつないでいくかに心を砕いていたのか。真意は玉虫色である。

宇佐美さん「よくつながってきた」

近世の前田家は幾度も危機を乗り越えてきた。宇佐美さんは「領地の変更もなくよくつながってきた。利常以降は幕府にも大きな配慮があったと思います」と話した。

寄稿

前田家の記憶と近代

文化振興の契機、藩主の物語に

金沢星稜大学特任教授　本康　宏史

現代人が思い浮かべる「加賀百万石」のイメージは、廃藩置県後150年の堆積によって成り立っている。日本近代史を専門とする本康宏史《もとやすひろし》・金沢星稜大特任教授の寄稿を通じて、近代という時代、前田家歴代藩主の「記憶」がいかに語られてきたかを読み解く。

「歴史」や「伝統」は、石川の文化の大きな要素である。史跡・名勝に限らず、観光資源の多くが「加賀百万石」、藩政期の文化蓄積によって成立していると言ってもよい。なかでも城下町金沢のイメージは、「前田家の記憶」が基調となって語られてきた。

旧藩や旧藩主の「物語」が時代、時代の要請を背景に創生されて地域理解の根幹をなす。こうした「旧藩史観」の特徴が加越能、特に金沢ではより強く現れているようにも思われる。この背景には、維新後の「城下町の人々」の不遇感や焦燥感があったのではないだろうか。二百数十年にわたる「大藩」意識とその残像が、とりわけ旧藩士族層に強く存在したのであろう。

こうした加賀藩の遺産が、「前田家の記憶」として、近代における「伝統文化」や地域アイデンティティー形成の過程でどのような役割を果たしたのか、たどってみたい。

1898（明治31）年ごろに行われた尾山神社神門の修理風景

「百万石まつり」と尾山神社
―藩祖利家の「記憶」―

「百万石イメージ」を強調し、補強する役割を果たすのが毎年営まれる「百万石まつり」である。

戦後間もなく「商工まつり」として始まり、現在まで続くが、次第に藩祖前田利家の金沢入城をなぞった「百万石行列」をメインイベントとする大規模な観光行事として定着していく。その際、利家を祀《まつ》る尾山神社がそのシンボルとして大きな役割を果たしたことは言うまでもない。そもそも同社の「封国祭《ほうこくさい》」が祭礼のルーツでもある。

尾山神社は藩政前期以来、卯辰八幡宮で続けられてきた藩祖利家崇拝を新たな神社建立という形で実現している。約３００年間にわたり、家禄《かろく》を保障されていた旧加賀藩士たちにとっては、維新後も前田家は変わらず「藩主」であり、感謝の念は持続されていた。旧藩士たちの尽力により、特に旧重臣の八家が音頭を取る形で1873（明治6）年11月、旧金沢城域の一角、金谷御殿《かなやごてん》の跡地に創建された。

このため、社殿の整備も旧藩建造物を移築している点に特色がある。例えば、拝殿は金谷御殿の一部で、華麗な欄間《らんま》も名工・武田友月《たけだゆうげつ》の傑作。さらに、東神門は宝暦の大火（1759年）で城内の建築物がほとんど焼失し、唯一残った二ノ丸の唐《から》門《もん》である。1963（昭和38）年の東参道新設に際し卯辰山の招魂社《しょうこんしゃ》から移築された。

こうした経緯もあって、旧藩臣による尾山神社の崇敬団体もいくつか組織された。最も活躍したのは「尾山旧誼会《きゅうぎかい》」である。同会はいわば神社維持の奉賛会であり、旧藩士族らの親睦会でもあった。

初代会長には旧八家筋の横山隆興《たかおき》が就任し、旧藩の名士ら十数名が幹事に名を連ねた。2代、3代会長も旧八家の本多家当主が就いている。毎月藩祖利家の忌日には尾山神社に会合し、報恩と感謝、前田家の繁栄を祈り、会員の親睦を温めたという。詩歌、連歌、俳句、生け花、茶席、謡曲など「伝統文化」を楽しみながら、歴代当主の遺徳をしのんだ。

鉄道開通で「帰住」を
前田家がらみの大事業も

明治30年代前半、廃藩置県で一度は衰えた金沢の市勢は上昇に向かう。劇的な転換を可能にした要素の一つが北陸線の開通であった。1898（明治31）年4月1日付の北國新聞には「鉄道の開通に際して旧藩主の帰住を勧奨す」という評論が載った。金沢に戻ってきてほしいという内容で、書き出しには「雄藩三百年の歴史は加越能三州の士民をして前田家旧恩の洪大《こうだい》を憶記《おくき》せしむ、況《いわ》んや我金沢は百万提封《ていほう》の旧城下にして其《そ》の徳化を蒙《こうむ》れること最も甚深《じんしん》」とある。

発展の軌道に乗った金沢では、「金沢開始三百年祭」「藩祖前田利家三百年祭」「尾山神社別格官幣社昇格運動」など、前田家がらみの大事業が続いたことも特筆しておきたい。もちろん、直接的には戦国時代から300年の節目を経たことを契機としたものだが、背景には、当時の社会状況とこれに規定された旧藩意識があった。

それぞれの祭礼では、各町内に「梅鉢の幕」を張り、工夫を凝らした出し物が催され、多くの人出でにぎわったという。すなわち、この一連の前田家関係のイベントは、20世紀を迎えても、金沢の人々にとって「前田家の記憶」がなお重要な存在であったことを示しているのである。

鐵道の開通に際して舊藩主の歸住を勸奬す

雄藩三百年の歴史は加越能三州の士民をして前田家舊恩の洪大を憶記せしむ、況んや我金澤は百万提封の舊城下にして其の德化を蒙れること最も甚深にして直接なりしに於てをや、榮枯に之れを思ひ、盛衰に之れを想ひ、有爲轉變に際會して之れを念ふは、固より理の當に然るべき所なり、而して今や即ち北陸鐵道の開通を見るに及び、久しく交通不便の爲めに阻隔せられたる金澤の地は、爾來東客西賓南貨北品の日夜に往來集散する樞區となり、市府の繁榮は遙かに舊藩全盛の往日に倍加せんとするものあり、此時に當りて吾人が當時を追懷し更に眼を舊藩主の上に注ぐもの豈に所以なしとせむや、請ふ吾輩をして此に侯爵家に對する希望を說かしめよ

1898(明治31)年4月1日付の北國新聞に掲載された評論
「鉄道の開通に際して旧藩主の帰住を勧奨す」

茶の湯と美術工芸の礎《いしずえ》
―3代利常の「記憶」―

尾山神社の境内北参道に建っている石造鳥居は、遷座に先立ち、金沢の「茶商中」が寄進したものである。移築の際も同じく「金沢茶商組合」が補修し現在に至る。このように、金沢の茶業あるいは茶道界と尾山神社の関係は深い。そもそも加賀の茶の湯の隆盛は、3代利常が、製茶業に関して並々ならぬ配慮を示したことに端を発する、と理解されているからである。

例えば、明治初期の茶業、茶道界で指導的な役割を果たした茶商の近藤一歩《いっぷ》である。1883（明治16）年3月の第1回「尾山神社献茶式」の記録を残した。

趣意書（「同志連印簿」献茶之趣意）には微妙公《みみょうこう》（利常）が物産振興を図り、能美郡で茶を植え、金沢に茶園を置いて以来、製茶業は能美、江沼2郡に広がった、としている。

さらに、「尾山まつり」から「百万石まつり」に至るなかでも例年、利家入城の6月14日には献茶式が行われ、市内各流派による点前が奉納されている。このように、茶道、あるいは茶商と前田家、とりわけ3代利常への奉賛関係は極めて古く、強いことがうかがえよう。

一方、「加賀百万石」文化の重要な要素である美術工芸の礎《いしずえ》を築いたのは、3代藩主利常と5代藩主綱紀であるとされる。利常は金沢に京や江戸に勝るとも劣らない文化を形成する基礎を築き、それを引き継ぎ発展させたのが綱紀だったというのである。

とりわけ利常は後水尾《ごみずのお》天皇と姻戚《いんせき》関係にあり、京の文化を金沢に導入、江戸の文化に対抗したと喧伝《けんでん》される。

当時の城下町金沢には、利常が京都から安土桃山風の京文化を代表する漆工や金工（象嵌《ぞうがん》・刀剣）、陶芸などの職人を大勢招聘《しょうへい》しており、金沢の美術工芸隆盛の契機となったという。

彼らは「御細工所《おさいくじょ》」を拠点に、お抱え職人の社会をつくり、多くの弟子たちを育てた。こうした藩主利常の意向が、現在の「工芸王国」の礎を築き、その系譜が今日の伝統工芸の盛況に至っているというのである。

こうした指摘は事実でもある。ただ、加賀の工芸産業は、明治維新後の殖産興業政策の急速な展開とその後の収縮、第2次世界大戦下の統制によって壊滅的な打撃を受け変容している。利常・綱紀の時代の事績は、そのまま近代工芸の発展や現代の評価と直結しているわけではない。すなわち、「前田家の記憶」によって、史実とイメージを分かりやすい「物語」として理解してきた傾向もみられるのではないだろうか。

「天下の書府」の系譜
―５代綱紀の「記憶」―

藩祖利家の顕彰がひと段落した明治40年代に至ると、「中興の祖」綱紀の顕彰が中心となる。例えば、大部の伝記『加賀松雲公』が上中下3巻で１９０９（明治42）年に上梓《じょうし》され、金沢出身の国文学者・藤岡作太郎による「小伝」の刊行、さらに前田家による文庫創設など綱紀顕彰の事業が続いた。これを推し進めたのが、16代当主である前田利為《としなり》であった。

利為は、上野七日市藩の旧藩主、七日市前田家に生まれた。明治以降、前田宗家では、最後の藩主であった14代当主慶寧が維新後に早世し、後を継いだ15代利嗣《としつぐ》にも後継者がなかった。このため、一族のなかから跡継ぎを選考することになった。

その際、七日市前田子爵家が養子縁組の対象となり、渼子《なみこ》姫との年齢的関係も考慮して四男の茂が最適任とされたのである。１９００（明治33）年6月14日、利嗣が薨去《こうきょ》すると葬儀準備とともに、茂（利為）は家督を相続し、爵位継承などの諸手続きが急速に進められた。

その後、利為は１９０６（明治39）年の元旦、結婚記念事業として、▽家政刷新▽松雲公（綱紀）事績の編纂《へんさん》▽前田文庫の創設の「三大事業」の実行を決意している。松雲公綱紀は好学の大名、開明藩主として知られ、綱紀の書物蒐集《しゅうしゅう》のもと、加賀は「天下の書府」と評された。その「記憶」が原動力となり、今日の「尊経閣文庫《そんけいかくぶんこ》」に至っていることは言うまでもない。

「前田家中興の祖」と仰がれた綱紀の広範多岐な事績は、16代当主としての若き利為に、「第二の松雲公」たらんとする目標を与えたものと思われる。このように、歴代当主をはじめ前田家の人々は藩政時代の旧藩主の「記憶」を呼び起こし、「侯爵前田家」としての存在感を増していった。

「能楽」を舞う藩主
―13代斉泰《なりやす》の「記憶」―

尾山神社には維新後、能舞台が建てられた。金沢最初期の例の一つである。1878（明治11）年9月に落成し、舞台びらきの能が9月20日から3日間上演された。同じ年の6月には、兼六園内の成巽閣《せいそんかく》（金沢勧業博物館）にも能舞台が設けられている。前田家が関わる二つの施設にほぼ同時期に能舞台が設けられたことは興味深い。おそらく、同年秋の北陸巡行の際、明治天皇が金沢に行幸したことがその契機となったものと思われる。

能を復興、上演するためには、道具がなくては出来ない。記録によれば、維新後、前田家に願い出て、尾山神社への寄付という形で多数の能面、能装束、小道具等の下げ渡しがあったという。実際、神社所蔵の能装束が近年まで保存されていた。

加賀の能復興に際して、その立役者はほかならぬ前田斉泰《なりやす》、利鬯《としか》（最後の大聖寺藩主）父子であった。斉泰の能への傾倒は並大抵のものではなく、「能楽」という用語も岩倉具視の求めに応じて斉泰が考案したものだという。斉泰らは東京でも「能楽社」を結成して芝能楽堂の建設を推進し、舞台には斉泰筆の額「能楽」が掲げられている。

ちなみに、これが「能楽」という語の公式的呼称の嚆矢《こうし》とされる。こうしたことも尾山神社の能舞台建設が背景にあったのではないだろうか。以来、同舞台では、毎年4月の春祭りに正式な能の上演形式である「翁附五番立《おきなつきごばんだて》」が奉納され、実に太平洋戦争前まで続けられたのである。

「勤王紀念標」の建立
—14代慶寧《よしやす》の「記憶」—

兼六園の一角には、かつて旧藩主前田慶寧の銅像(吉田三郎作)が建てられていた。このモニュメントは、「加越能維新勤王紀念標」といい、1930(昭和5)年12月に建造されたものである。台座の銅板には「殉難志士」の氏名が刻まれ、いわゆる「元治の変」の殉難者を慰霊するためであった。

銅像のモチーフとなった前田慶寧《よしやす》は、13代藩主斉泰の嫡男であり、斉泰の隠居により「最後の藩主」を継いだ人物である。藩主として4年、藩知事として2年の合わせて6年、幕末維新の動乱期、

兼六園の一角にあった「加越能維新勤王紀念標」。14代藩主前田慶寧の銅像を配置している。戦時中に撤去された=1930(昭和5)年12月ごろ

当地の治政に当たっている。

「元治の変」とは何か。1864(元治元)年、幕府による「長州征伐」に際し、前田家は「公武一和」を掲げ、これに反対する「建白書」を提出した。この間、慶寧側近の勤王派は、ひそかに長州の志士らと連絡を図り、一旦事ある場合には、天皇を加賀藩領の近江海津(現在の滋賀県高島市マキノ町)へ移し共に戦う旨の「密約」まで結んでいたという。

しかし、薩摩が主導権を握った「禁門の変」により、長州と結託したものと見なされた加賀藩は窮地に陥った。慶寧は謹慎、側近の勤王派や在野の攘夷運動家40名余りを切腹以下の刑に処したのである。加賀藩にとって、尊王倒幕運動への唯一の参加機会であり、以後の幕末政局のターニング・ポイントであった。

兼六園内長谷川邸跡の「勤王紀念標」は、この「元治の変」の記憶をとどめるため、明治以来の有志(旧藩士・在郷軍人ら)による粘り強い運動を経て、処刑された尊王派を顕彰したものだった。まさに「旧藩史観」による「加賀百万石」の「回復」を果たしたシンボルだったのである。

振り返る人の思いが藩政期のイメージに

「城下町金沢」にあっては、「百万石文化」の礎となる文化振興の契機を前田家の歴代藩主の「個性」と「事績」から説明する語りが形成されてきた。しかも、事績に対する顕彰は、事実の場合もあるものの、むしろ後代に脚色を加えながら語られた内容も少なくない。

その際「加賀百万石」を表象するキーパーソンは、藩祖利家はもちろん、3代利常や5代綱紀、さらに幕末の斉泰、慶寧らであった。例えば、利常は京都の「寛永文化」とつながりが深く、能と茶の導入に尽力。茶道に付随して蒔絵《まきえ》や楽焼、京焼、友禅染など「美術工芸」の分野で、京文化の導入が強調された。一方、綱紀の功績としては、千家の茶の湯の定着、釜や和菓子、さらには書物の蒐集《しゅうしゅう》、修復など「天下の書府」と称される学問分野への貢献もある。

　斉泰、慶寧に至っては、能をめぐる「伝統文化」継承に加え、幕末加賀藩の政治的な動向にも関心が寄せられた。特に慶寧に対する顕彰の内実は、維新を不本意な形で迎えた「百万石大名家」とその家臣団の複雑な「旧藩意識」が根底にあったものと思われる。

　その時代、時代を振り返る人々の思いが、それぞれの「前田家の記憶」として反映され、近代からみた藩政期のイメージを形作ってきたものとは言えないだろうか。

【参考・引用文献】

菊池紳一『加賀前田家と尊経閣文庫―文化財を守り、伝えた人々』勉誠出版、2016年
高木博志編『近代京都と文化』思文閣出版、2023年
編纂委員会編『尾山神社の百五十年』北國新聞社、2023年
宮下和幸『加賀藩の明治維新』有志舎、2019年
村上紀史郎『加賀百万石の侯爵　陸軍大将・前田利為』藤原書店、2022年
本康宏史『百万石ブランドの源流―モダンから見た伝統文化』能登印刷出版部、2019年
横山方子『鷹峯を越え　百万石文化　創成の群像』北國新聞社、2018年

本康宏史（もとやす・ひろし）
◉1957（昭和32）年生まれ。金沢大学大学院社会環境研究科で学位取得。2009年から石川県立歴史博物館学芸課長を務め、13年に金沢星稜大経済学部教授。金沢市史など数多くの自治体史の編纂に携わった。14年度に金沢市文化活動賞。同市在住。

家督相続ドキュメント

藩主治脩《はるなが》の日記を読む

本誌編集室

将軍から3度の上意《じょうい》
「政務、油断なく相《あい》心《こころ》得《え》候《そうろう》」

加賀藩前田家の当主交代を生き生きと伝える記録がある。11代藩主、前田治脩《はるなが》による「太梁公《たいりょうこう》日記」だ。将軍への拝謁《はいえつ》、江戸城内での儀礼、領国入りの道中が事細かに盛り込まれている。筆まめだった治脩が記した「家督相続ドキュメント」を読み解く。

１７７１（明和8）年4月23日。江戸は快晴だった。加賀藩前田家を象徴する剣付き梅鉢紋《うめばちもん》の装束をまとった27歳の青年は、春風そよぐ江戸城を緊張した面持ちで仰いだ。

名は前田時次郎。加賀藩6代藩主の前田吉徳《よしのり》の十男、後の治脩である。この日、10代将軍徳川家《いえ》治《はる》に面会し「相続の儀」に臨む。隠居する異母兄の10代藩主前田重教《しげみち》に代わって加賀百万石の主《あるじ》となる認めをもらうのである。この日は五つ時（午前8時）、藩邸内にいる重教にあいさつし、供の者を従えて加賀藩邸を後にした。

大名家の家督相続は、あらかじめ幕府に相続を願い出る必要がある。家督は、単に大名家の内部で、年長者が年少者に譲るのではない。新たに将軍から与えられる地位なのである。言い換えれば、徳川将軍家と前田家が、君臣関係を結び直す重大な意味がある。

幕府側との調整を終えているとは言え、時次郎は落ち着かない。約２００年前を生きた高徳院（藩祖前田利家）は「人は一代、名は末代」という名言を残した。もし将軍の御前《おんまえ》で粗相があれば、末代までの名折れである。時次郎は前田家の重みを味わいながら、あるべき所作を心にたたき込んだ。

所作をリハーサル

江戸城本丸御殿に入るとすぐ、「柳の間」の上、「白牡丹《しろぼたん》の絵の杉戸の側」に通された。どうやら、ふすまの絵柄のようだ。目印を日記にしたためたのである。

着座してしばらくすると松平頼済《よりずみ》（史料では播《ばん》州《しゅう》＝播磨守《はりまのかみ》）がやってきた。常陸府中藩主で、重教正室の叔母の夫である。少し血筋は遠いが、病気を理由に隠居を申し出ている重教の代役として、加賀藩からこの場に「差し出される」役回りだっ

江戸城本丸跡に残る天守台。前田時次郎（後の治脩）の祖父に当たる5代綱紀が幕命を受けて再建に携わっている＝2015年

た。時次郎とは初対面である。一緒に将軍の側近である坊主衆のたまりの間で休息し、しばらく雑談した。

　九つ時（正午）ごろ、時次郎は上下《かみしも》に着替え、柳の間に戻る。すると、幕府目付《めつけ》の桑原盛《もり》員《かず》（史料では善兵衛）、河野安嗣（史料では吉十郎）が現れた。将軍への案内役である。

　同道して時次郎は本丸御殿内を奥へ進んだ。「桜の間の上の間の縁側」を通り、「松に滝が描かれた床の間」「なげしの上に落雁《らくがん》十一羽」が描かれた部屋へ入った。床の間に向かって最初に時次郎、続いて播州が着座し、しばらくすると老中《ろうじゅう》の一人である松平武元《たけちか》（史料では右近将監《うこんのしょうげん》）が現れた。老中は、将軍のもとで政務全般を担当する譜代大名たちである。幕府の意思決定の中枢を担う。

　あいさつを済ませると、時次郎は早速「御座の間」の様子を尋ねている。御座の間とは将軍の応接間・執務室である。内部の位置関係を頭に入れようとしたのかもしれない。右近将監は将軍に拝謁する時の詳しい作法を示した。入念なリハーサルである。同道する播州も気が気ではなかったようだ。「何度も何度も」右近将監に質問した、とある。

　いよいよその時間がやって来た。老中を補佐す

る若年寄衆の先導で、時次郎は御座の間近くの廊下の曲がり目にしばらく着座した。その廊下を真っすぐに進み、左へ曲がってからまずは御座の間の縁側へ入る。畳1畳分ほど間をおいて着座した。

重教の代役である播州が上座だった。「御座の間」へ入ると、両人の名前などの披露があった。将軍から「それへ」と命じられて、両人立ち並んで室内へ入り、頭を下げて座った。目の前には、時次郎の主君、34歳の将軍家治がいる。

「相違なく申し付ける」

将軍の命令を「上意《じょうい》」という。大名が面と向かって受ける直接指示と言っていい。「太梁公日記」によれば、かしこまる時次郎に、将軍家治は最初の「上意」を下した。

「加賀守《かがのかみ》、願いの通り隠居、時次郎へ家督、相違なく申し付ける」

藩主である重教の退任と、時次郎の家督相続を願い通りに認める、というのである。時次郎は、将軍の言葉を取り次ぐ御用番の方を向き「ありがたきしあわせ」と言上した。

すると、再び「上意」があった。

「加賀守、領国広きことなれば、政務、油断なく相心得候《あいこころえそうろう》」

新藩主である時次郎への励ましだった。加越能の領国は言うまでもなく諸侯で一番の広さである。しっかりと政務に励め。将軍直々の励ましに、時次郎は先ほどと同様「ありがたきしあわせ」と申し述べた。

そこへ、さらなる「上意」があった。

「加賀守、年若《としわか》にて隠居の儀、とくと保養つかまつるべく候」

藩主を退く兄への気遣いだった。重教はこの年、

31歳。まだ隠居というには若すぎる年齢だった。将軍が「相続の儀」で3度も矢継ぎ早に「上意」を繰り出すのは異例のことだった。

「初めて拝聴」一同感心

「きょうは首尾よく済んでめでたいことである」

緊張の瞬間を終えて、時次郎は松の間大廊下の加賀前田家用の控えの間に退くと、同行した桑原善兵衛から、こんなあいさつを受けた。事前に、桑原から所作指導を受けたおかげで恥をかかずに済んだ。桑原は幕府の旗本で、前年に将軍家治が日光を参拝した折には街道筋を検査した。信任は厚い。時次郎は「この上なく喜ばしいことであった」と丁寧に礼を述べている。

控えの間には播州や右近将監もいる。話題はなんと言っても将軍の「上意」だった。

「上意は少ない言葉でも末代まで残る重いものである。ただ今のような長い上意は、初めて拝聴いたした。(加賀前田家の)お家柄が格別だからである」

加賀前田家が御三家に準じる家格だったからこそ、将軍も配慮したのであろう。

相続の儀に立ち会うことが多い老中たちも「初めて聴いた」という反応だった。時次郎は老中の集まりにも顔を出し、あいさつする。

「きょう加賀守、願いの通り隠居、私儀《わたくしぎ》、家督仰せつけられ、御懇《ごねんごろ》の上意をこうむり、ありがたきしあわせ存じ奉り候」

勝興寺の住職から藩主に

老中たちは「万端滞りなく相済《あいす》み、めでたいこと」とねぎらった。幕府中枢も驚くほどの「上意」に、時次郎は加賀百万石の重みを感じ取っていたはずである。わが身の来し方を顧み、「これから」を案じていたはずである。

国宝に指定されている勝興寺。前田時次郎は闡真の名で住職を務めた＝高岡市伏木古国府

時次郎は1745（延享2）年、金沢で側室の子として生まれた。父の死のわずか5カ月前に生まれており、最後の男子だった。

十男ということもあり、もとより藩主の座が巡ってくるとは想定されていない。誕生の翌年、越中古国府（現・高岡市伏木古国府）の浄土真宗本願寺派の古刹《こさつ》、勝興寺住職になることが決まった。1761（宝暦11）年に京都・西本願寺で得度式《とくどしき》に臨み、宗主法如《ほうにょ》から闡真《せんしん》（※）の名をもらっている。

時次郎が僧侶として成長していく間に、前田家は数奇な運命に見舞われる。7代宗辰《むねとき》、8代重煕《しげひろ》、9代重靖《しげのぶ》と時次郎の異母兄たちが次々と早世したのである。

とりわけ1753（宝暦3）年は、変転の年だった。5月に8代重煕が死去し、異母弟である9代重靖が後継者となった。ところが重靖は初めて国元へ向かう道中で麻疹《ましん》に掛かり、10月に死去して

※闡真は「せんしん」と読まれていたが、高岡市などが実施した上洛時の記録「勝興寺《しょうこうじ》尊《たか》丸君《まるぎみ》得度《とくど》上洛《じょうらく》御供《おとも》に付書留《つきかきとめ》」の調査で、「ひろさね」とも読まれることが判明した。

しまう。

慌てて擁立されたのが弟の重教だった。もともと重臣「加賀八家」の一つ、村井家に養子入りする約束だったが、取り急ぎ約束を解消し、14歳で10代藩主となった。

それでも治世の困難は続いた。１７５９（宝暦9）年に起きた金沢城下の大火（宝暦の大火）で財政逼迫《ひっぱく》に拍車が掛かり幕府から借金を余儀なくされた。

しかも重教は剛直な性格から重臣との対立は絶えず、健康不安を抱えてもいた。重教は次第に政治への意欲を失い、とうとう隠居を思い立った。

後継者を誰にするか。重教は「徳川家でもよい」との考えを示したが、重臣は納得しない。前田家が途絶えてしまうと、猛反対した（25ページ）。

やむなく、四つ違いの異母弟である時次郎に還俗を命じた。住職を辞めて藩主になれ、というのである。

「なぜ」という思いがどうしても拭えなかったのであろう。時次郎はきっぱりと断ったが、説得は続き、ついに根負けした。

勝興寺の本堂再建のために、毎年千俵（５００石）を寺に納めることを条件に、家督相続を引き受けたのである。時次郎の粘りは、２０２２（令和4）年12月に国宝指定された勝興寺の伽藍《がらん》につながる。

１７６９（明和6）年、時次郎は還俗して金沢城に移った。翌年、藩主である重教は内々に幕府に隠居の意向を示し、時次郎を後継とすることを願い出た。これを受けて幕府と前田家の間で、調整が進んだ。

１７７１（明和8）年2月、27歳の時次郎は江戸に赴く。「太梁公日記」は、この年4月16日の記録から始まっている。

最初の記述は、重教の隠居願いを老中の松平輝《てる》高《たか》(史料では右京太夫《うきょうのだいぶ》)に提出すると、受け取ってはもらえたものの、養子願いではなく、相続願いに改めるよう返書があった。隠居願いは受け取ったが、「養子」はまずい。「相続」に書き改めよ、という指示だった。

「太梁公日記」によると、隠居の申し渡しの期日は4月21日に内々に知らせがあり、翌22日に老中連名の奉書が届いた。次の内容だった。

ご用の儀が明日二十三日にございます。五つ半時(午前9時)に、その方の名代として松平播磨守を差し出されるように。また、松平時次郎、登城いたされるよう。以上

四月二十二日　板倉佐渡守(勝清・老中)
松平周防守(康福・老中)
松平右京太夫(輝高・老中)
松平右近将監(武元・老中)
松平加賀守(前田重教)殿

時次郎は以上のやり取りを踏んで新藩主となったのである。

元服の儀、一字もらい治脩に

次に待っていたのは、「元服の儀」であった。時次郎は僧籍にあったため、武士としての「元服」を済ませていないのである。6月25日に再び将軍に拝謁して元服の儀が行われた。儀式の後、重臣らには次のような口上を述べている。

今日、登城して、(江戸城本丸御殿の)黒書院において将軍(徳川家治)への拝謁を命じられ、御一字《おんいちじ》(「治」の文字)を拝領し、正四位下少将を任ぜられた。御盃《おんさかずき》(酒)や御肴《おんさかな》を頂戴し、御《おん》腰の物《こしもの》(刀)も拝領した。上意をいただき、名前

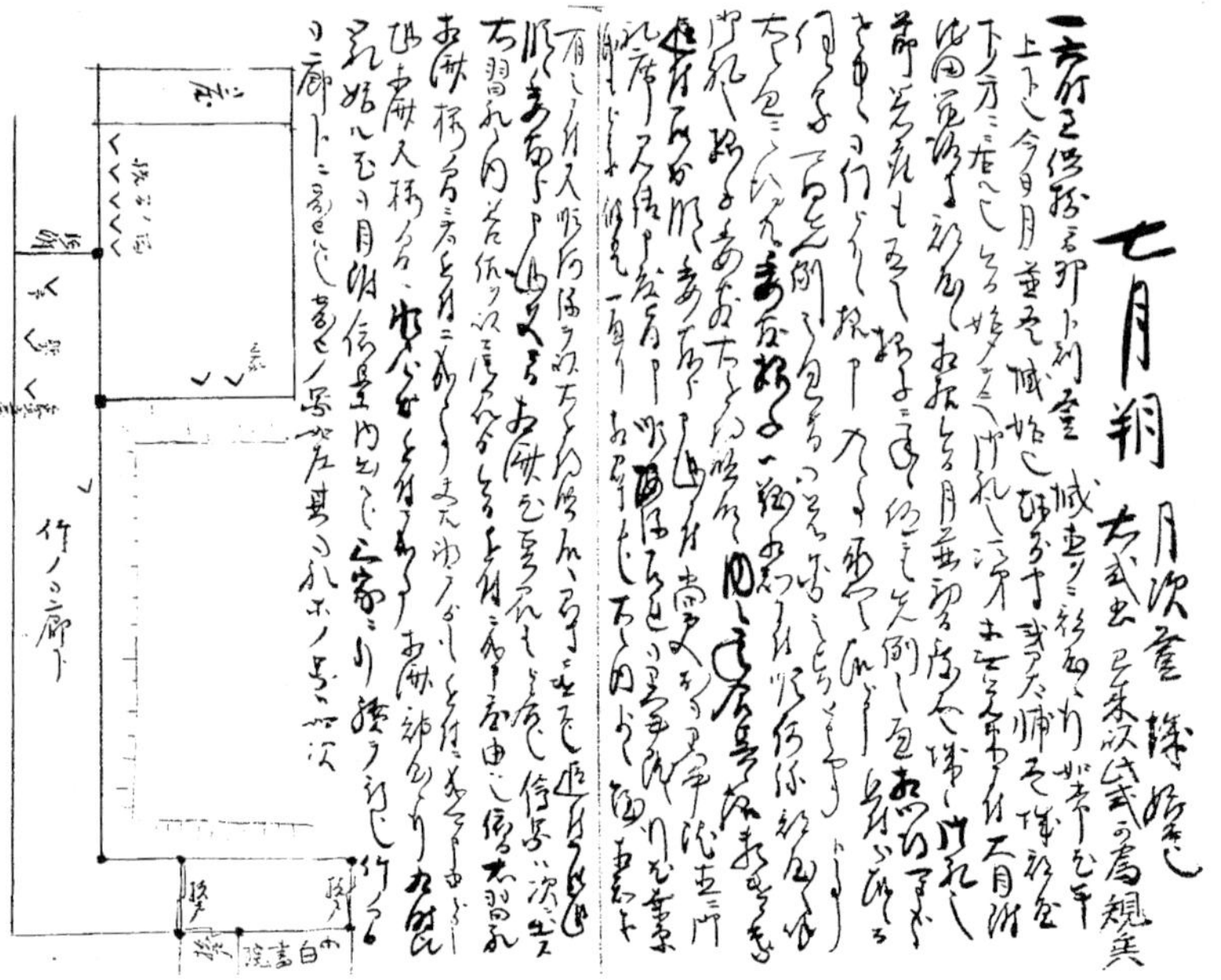

「太梁公日記」明和八年七月朔日條。江戸城内の部屋や廊下が図入りで記されている

をも改めたことは、この上もなく、ありがたきしあわせである。このことを頭分《かしらぶん》(※)以上の者にも申し聞かせるように。

時次郎はかくして前田治脩となった。喜びが伝わってくる口上である。

「言葉数多くならぬよう」

7月1日からは、主に毎月1日、15日の定例の登城(月次《つきなみ》御礼《おんれい》)に加わることになる。将軍に拝謁する黒書院の位置関係や御三家が座る場所なども「太梁公日記」は図入りで記す。「殿中にては言葉数は多くならぬように気をつけるべき。しかしあまり無言もよろしからず」。城中の心得を書き留めている。

正式に藩主となった治脩は藩主として初めて領

※藩主に御目見できる中級武士「平士」の職制。

国入りすることになる。「太梁公日記」は8月6日に江戸を出発し8月18日に金沢に到着する12泊13日の行程を生き生きと記している。各宿場で便所や風呂がきれいかどうかチェックしているところが治脩らしい。一部を紹介する。

八月六日　桶川（武蔵国）で泊まる。御前（重教）よりの使者、音地久兵衛から安否のおたずねがあり、味噌《みそ》漬け鯛一桶、お菓子一箱を拝領した。

八月九日　追分（信濃国）で泊まる。当駅の亭主より鶉《うずら》と松茸《まつたけ》の献上があり、今晩の料理に使った。鶉は焼き鳥にして初めて食べた。味はまずまず。夜食には桶川駅で拝領した鯛、お干菓子を頂戴し、干菓子は年寄の河内（横山隆達）にも与えた。

八月十二日　野尻湖（信濃国）、湖上晴れ渡りて、孤島も光り輝くように美しい。殊勝の絶景である。宿にも多くの見物人がいる。

むさ苦しくて飯も食えず…

関山（越後国）で中休みする。宿はことのほか汚い。家は屋根、柱が傾いて、しばらくいるのも危ない心地がする。建物のわりに閑所《かんじょ》（便所）はよい。むさ苦しくて飯も食えず、駕籠《かご》の中に焼き飯（焼きおにぎり）を入れさせて、道々食べて行った。

八月十四日　境（越中国）で泊まる。境へ到着し、領国に入ったことを、老中、大奥老女中（大奥に仕える年寄女中）に書面で届け出るため、今晩発つ飛脚に申し付けた。

八月十六日　東岩瀬（越中国）で中休み。宿はことのほか良く、領国で一番である。湯殿（風呂）、閑所も同様に良い。庭はことのほか広く、外は海で、向こう岸が見え、山も見え、景色はいっそう良い。馬などを見るには最上のところで、来秋はここで馬を見るべきである。

八月十七日　高岡で泊まった翌朝、供の者を従えて瑞龍寺と御廟《ごびょう》（利長墓所）へ参詣。初めに瑞龍寺で御霊前に焼香し、駕籠に乗って御廟へ参詣した。

八月十八日　津幡を発ち、駕籠に乗って森本で小休。旅館はきれいで広い。ここで月代《さかやき》、髪をそろえて、小弁当を食べて駕籠で出立した。大樋町の端からは馬に乗って城下に入った。町の端より（金沢城の）尾坂門のあたりまで店がいっぱいで、空きどころもなく大勢の人々が出迎えてくれた。町中は掃除が行き届いてきれいで、きょうは極めて晴天である。着城。

「家督は過分の至り」

たくさんの領民に出迎えられ、晴々と初入国を果たした治脩は、金沢城の居間書院に八家の年寄たちを集めた。安房守（本多政行）、駿河守（前田孝昌）、九郎左衛門（長連起）、主水《もんど》（奥村隆振）に申し述べた内容が記されている。いわば新藩主の訓示である。

このたび、拙者が入国したことは本来の（家督の）順序ではないことは、おのおの承知していることだと思うが、今さら詳しくは申さない。聞いての通り、とりわけ末子の拙者が家督を継承したことは、自分にとっては過分の至りであり、誠に当家代々の威光があるからなので、重ね重ね、ありがたきしあわせである。田舎で育った拙者が、おのおのの上に立って国政をつかさどり、大国をさばくことは心もとないことなので、みな心を合わせて協力するよう、深く頼むものである。

治脩は百万石の大藩を継承する立場ではなかったことを「過分の至り」と素直に伝えた上で、謙虚な姿勢で重臣に国政への協力を要請したのである。重教と衝突していた重臣たちは、穏健なリーダーを歓迎したのではないか。

藩主になった治脩は産物方《さんぶつかた》を設置して米作以外の新産業の育成を図り、藩校の明倫堂《めいりんどう》、経武館《けいぶかん》の創設により学問を奨励し、貧民の救済策にも取り組んだ。利家に始まる歴代藩主の中では地味な印象を受けるが、藩主の在職期間は5代綱紀《つなのり》、13代斉泰《なりやす》、3代利常《としつね》に次ぐ歴代4位の31年で、藩政の再建に努めた。

一方、隠居した重教は、好転しない財政に業を煮やして１７８５（天明5）年に、勝手方（財政）については自ら取りさばくと宣言して「天明の御《ご》改《かい》法《ほう》」を始めた。しかし、「御改法」はわずか1年で挫折。重教も翌年に亡くなった。

わがままな兄に振り回されながらも兄思いだった治脩は、重教が藩主に復帰した場合は藩主の身を引く意向だったとされている。重教の次男斉広《なりなが》を後継とし、斉広が成人すると１８０２（享和2）年、隠居して家督を譲った。

膨大な「太梁公日記」からは温和で筆まめ、謙虚な人間像が浮かび上がってくる。重臣の奥村尚寛《ながのぶ》は治脩評として「仁愛の心、善徳をそなえていることは申し分ないが、威厳は甚《はなは》だ薄い」と、決断力不足も指摘しているが、治脩の治世により、藩政は加賀騒動以降の混乱期を脱したことは確かである。

活字化の進展期待

「太梁公日記」は1775（安永4）年4月までの40冊が前田育徳会尊経閣文庫に現存している。書物のタイトルは原本第五冊に「明和壬辰記《めいわじんしん》」とあるのみだが、治脩の法号である太梁院にちなんでこの名前で伝えられている。1774（安永3）年2月までの日記は、金沢市史専門委員を務めた長山直治氏（故人）を中心に活字化が行われ、第5巻まで出版されている。金沢市立玉川図書館近世史料館など一部の図書館でも閲覧できるが、研究者向け史料の意味合いが強い。

日記を読んできて驚かされるのは、治脩の観察眼の細かさである。しっかりと後世に向けて記録しなければならないという使命感さえ伝わってくる。中断している全日記の活字化が終わり、読みやすく刊行されれば、加賀藩主のリアルな日常生活が伝わり、治脩は石川、富山の人々にいっそう親しまれるだろう。　（卜部寛生）

【参考・引用文献】
前田育徳会尊経閣文庫編集『太梁公日記　第一』続群書類従完成会、2004年
長山直治著『寺島蔵人と加賀藩政』桂書房、2003年
【取材協力】
小西昌志氏（金沢市立玉川図書館近世史料館）

小説

十字路

出崎 哲弥

19世紀後半の米国東海岸マサチューセッツ。26歳の日本人青年が派遣留学生として師範学校に学んでいた。彼には悩みがあった。日本の教育に「唱歌」は果たして必要なのか。南北戦争の傷痕が生々しい米大陸は、異なる価値観が交差する「十字路」の時代を迎えていた。日本音楽教育の父・伊沢修二を主人公のモデルにした出崎哲弥氏（七尾市在住）の小説を2号に分けて掲載する。

19世紀の米国を代表する作曲家、スティーブン・コリンズ・フォスター（1826～64年）。黒人奴隷の音楽を作品に取り入れたことで知られる

十字路（上）

遠くから行進曲が近づく。昼休みの師範学校がひときわ騒々しくなった。

"The parade is coming !"（パレードが来るぞ！）

同級生たちが表へ飛び出していく。相沢修平もそれにならって見物に出た。あたりに薄紫のライラックが咲き誇る。芳香が初夏の風に運ばれて通りに漂う。

一八七六（明治九）年五月。アメリカ合衆国は第十九代大統領を決める選挙を半年後に控える。共和党支持者によるパレードだという。同党のヘイズ候補は人種による差別待遇の是正を公約に掲げる。沿道の群集には黒人の姿も見られた。

パレードの先頭、楽隊が角を曲がって現れた。演奏するその曲は初めて聞く。ドラムがごく基本的なリズムを刻んでいることだけはわかった。

（五つ叩《たたき》、エン・テイ、五つ叩、エン・テイ、五つ叩、五つ叩、五つ叩……）

われ知らず修平はスティックを握った体《てい》で両手を小さく動かしていた。

これを隣の男子学生に目ざとく見つけられた。

"PRINCIPAL, you can play the drums?!"（"校長"、君、ドラムが叩けるのか？）

大声に周囲の視線が集まった。

＊

マサチューセッツ州のブリッジウォーター師範学校に入学して八ケ月になる——。

入学式でボイデン校長は学生たちの前に修平を立たせてこう紹介した。

「ミスター・アイザワは日本政府の派遣留学生

十字路（上）

だ。教育制度調査のため、本校の教員養成課程を実際に履修する。年齢は二十五歳。母国ではアイチ師範学校の校長を務めていたそうだ」

修平は直立不動で正面を見すえていた。端をはね上げた口ひげ、エンジの蝶《ちょう》ネクタイ、身を包む茶の背広。何から何まで隣に並ぶ校長を真似《まね》たとみなされても文句は言えなかった。

学生の間にざわめきが起こった。目の前の男が自分たちのわずかに年上とは思えなかったらしい。

その若さで彼の国では校長、それも師範学校のと聞いてなお驚いたのだろう。同級生は誰からともなく修平をプリンシパル――〝校長〟と呼ぶようになった。

あだ名自体に悪意は感じられない。マサチューセッツは百年近く前に北部諸州の中でもいち早く奴隷制度を廃止した。まして師範学校ともなれば学内に差別的な風潮はない。

修平は数学や物理、化学といった学科の授業では誰にも引けをとらない。英語も語彙力《ごいりょく》はまったく問題ない。さすがに聞きとりや発音となると若干分が悪い。そこはご愛嬌《あいきょう》といったところなのだろう。〝校長〟と呼びかける周りの声には親しみがこもっている。

そう理解しつつ〝校長〟の響きに修平は一抹の寂しさを覚える。同級生の「若さ」に内心埋めがたい距離を感じていた。

同年代の日本人の中でも老成している自覚が修平にはある。御一新後の国家を担う使命感がそれを裏打ちする。二十四歳で愛知師範学校校長として赴任した際には職員から四十代に見られた。そんな修平の目には米国人の同級生が幼く見えてしかたない。

くだらないことで歓声をあげてははしゃぐ。年下といっても学生たちはいずれも二十歳を超えてい

る。いい大人がベースボールやボート遊びに興じる。どうにも理解に苦しむ。

当地の師範学校が男女共学というところにも抵抗がある。周りの学生は何の憚《はばか》りもなしに異性と談笑する。時には頬へのキッスやハグで親愛の情を示しあう。そんな場面に出くわすと修平は目のやり場に困る。「男女七歳にして席を同じゅうせず」を当たり前に育ってきた。見ている自分までがふしだらな人間であるように思える。日本に残してきた新妻の千代に申し訳ない気持ちが湧いてくる。

修平は二年前、愛知へ赴任するにあたって叔父の勧めで妻帯を決めた。千代とは祝言で初めて顔を合わせた。添ってみれば相性は悪くない。漢学者を父に持つせいか千代は向学心が強い。夫が留学する間、自らの意志で東京女子師範学校に通っている……。

「えっ本当？　だったら見てみたいわ、叩くとこ」

赤毛の女子学生が弾《はず》むような声で言った。英語にもかかわらず千代に言われたように修平は感じた。

「よし、僕が掛けあってこよう」

お調子者が修平の意向も聞かずに駆けだした。ほどなく跳ねながら戻ってきた。頭の上に両手で丸を作っている。

校門前でパレードは小休止した。学生たちに修平は押し出された。もう覚悟を決めていた。楽隊は興味津々の様子で迎え入れた。

ズボンのサスペンダーに重ねてベルトを袈裟懸《けさが》けにした。受けとった小太鼓——スネアドラムを金具に取りつける。スティックの中ほどを右は上から、左は筆のように握る。構えを決めた修平は二三度試し打ちをした。表の皮が具合よくスティックを弾《はじ》きかえす。裏の響線がすぐあとをつい

十字路（上）

てくる。感触が懐かしい。小さくうなずいた。

準備ができたことを確認してパレードは再び隊列を整えた。房つきの杖《つえ》とホイッスルで指揮者が拍子をとる。修平は周りの鼓手に合わせてスティックを振りおろした。

金管楽器が先ほどからのメロディを被《かぶ》せてくる。

（五つ叩、エン・テイ、五つ叩、エン・テイ、五つ叩、五つ叩……）

手と耳を連動させて修平はリズムを刻む。「五つ叩」は右右・左左・右と同じ間隔ですばやく打つ。耳では「ダラダラダ」と確かめる。「エン・テイ」は左右・右左、「ツダッツダッ」とわずかな時間差、音量差をつけて打つ。「五つ叩」「エン・テイ」ともに西洋で正式に何というのか修平は知らない。

途中「九つ叩」も織りまぜて曲は進む。ひと回り目の間に難なく演奏できるようになった。沿道を同級生たちが一緒に行進する。例のお調子者は大げさに腕を振って歩いている。

ふた回り演奏し終えたところで修平は交代を申し出た。もとの鼓手から『グッジョブ』と肩を叩かれた。

同級生たちは群集とともに拍手喝采で迎えた。

「〝校長〟すごいわ。びっくりしちゃった」

上気した顔で先刻の女子学生が声を掛ける。

（千代も同じように驚くだろうか）

くりくりした目が思いうかんだ。

同級生に囲まれてパレードとは逆向きに校舎へと歩く。午後の授業が近い。

「〝校長〟どうだった？　楽しかっただろ」

笑顔の男子学生が何気《なにげ》ない調子で尋ねる。

「楽しい？」

修平は首を傾げた。ドラムと「楽しい」という言葉がどうしても結びつかなかった。修平にとっ

てドラムを叩くのは武芸と何ら変わりがない。

(人前で刀を振るったとして、それのどこが楽しいというのだ)

*

数日たった――。

夕方、修平は下宿へ帰ろうと師範学校を出た。

『エクスキュー……』

くぐもった声に呼びとめられて振りかえった。

大柄な黒人青年が目の前にいた。五尺六寸(一七〇センチ)の修平を見おろす。シャツが筋肉ではちきれそうになっている。校門の陰で待ちぶせしていたものと思える。修平は一歩二歩と後ずさりした。

「驚かせてすみません」

青年の英語には聞きなれない独特の訛《なま》りがあった。修平も発音には自信がない。どことなく親近感を覚えた。そっと顔を仰ぐと素朴で人懐っこい笑みをたたえている。悪人には見えない。

「何かご用ですか」

「あのう……この前、あなたがパレードでドラムを叩くのを見ました」

「ああ、あの時」

「とても上手でした。びっくりしました、西洋のドラムをあんなに」

「ありがとうございます。けれど、驚くほどのことではありません。私の国、日本には、ドラムを叩ける人間がたくさんいます」

「たくさん? 日本に。もしかしてサムライがドラムを叩くのですか」

「サムライ? サムライは、もういません」

修平は苦笑した。

「え、いない。まさか、みな死んだとか?」

「いえ、国の仕組みが変わったのです。十年く

十字路（上）

らい前に」

「十年くらい前。へえ、アメリカと同じだ」

（同じ……）

一八六五（慶応元）年に終わった南北戦争のことを言うのだと気づいた。

「南北戦争ですね。同じかもしれません。奴隷が、みな死んだわけではないでしょう」

「もちろん。あっそうか、そういう意味ですね。奴隷は、もういません」

そう言って青年は白い歯を覗かせた。

「アメリカは、奴隷制度をなくすか続けるか、北軍・南軍で争ったのですよね。北軍が勝って、国中で奴隷は自由になったのでしょう」

青年が大きくうなずくのを見て修平は続けた。

「正確に言うと八年前、日本も二つにわかれて戦いを。サムライの頂点である将軍につくか、ミカド——皇帝につくか、で。皇帝側が勝って、新しい政府ができました。その結果、サムライの身分はなくなったのです」

「あなたもサムライだったのですか」

「はい、とても位の低い、少年のサムライでしたが」

「少年？　ん、八年前ですよね。失礼ですが、あなたは今おいくつですか」

「二十六歳です」

「ええっ、てっきり私より相当年上かと。〝校長〟と、みなさんに呼ばれていましたし」

青年は見るからにとまどっている。

「いや、〝校長〟は、ただのニックネームで。私は学生です」

「そうかあ。私も二十六歳。同い年ですね。あ、自己紹介を忘れていました。マイルス、マイルス・ムーアです。よろしく」

屈託のない笑顔で握手を求めてきた。応じると

身体が上下するほど揺さぶられた。

「私は、シューヘイ・アイザワといいます」

「アイゼンハワー?」

「ノー、ア・イ・ザ・ワ。シューヘイ、と呼んでください」

「ではシューヘイ、教えてください。なぜあなたが、あんな風にドラムを叩けるのか」

マイルスは神に祈るように手を組んだ。理由は不明だがよほど知りたいのだろう。

「欧米の国々に対抗して城主が西洋式の軍隊を持とうと考えました。私がまだ幼い頃です。大砲を買って、銃を買って、兵の訓練を。進軍、止まれ、退却……兵をまとめて動かすにはドラムの合図が必要ですよね。そこで、少年のサムライたちを鼓手に仕立てたのです」

「城主」は信州・高遠《たかとお》藩主をさす。幕末、薩摩を筆頭に多くの藩が同じような近代化に取り組んだ。

「やはり軍楽隊でしたか。ドラムの指導は、どなたが」

「西洋人から習った日本人の、弟子のそのまた弟子のような人物を招いて」

「ふうむ、それで何とかなるものですか」

マイルスが胡乱《うろん》な目を向ける。

「大変でした。しかも実際に教わる時間は限られています。あとは自分で練習するしかありません。家でもひたすら練習を。食事のときも箸と茶《ちゃ》碗《わん》で、こう、チキチキチンと」

「オー、マナーが悪いと叱られたでしょう」

「いえいえ叱られません。それが私にとっては、サムライとして身を立てる道でしたから。真剣です。わが家はとても貧しくて。一人前の鼓手にならなければ、家族が食べていくことはできませんでした」

話しているうちに当時の気持ちが蘇《よみがえ》ってきた。

十字路（上）

修平は唇を引きしめた。

「うん、ああ、シューヘイ……。じつは私も少年の頃鼓手をしてましてね。南北戦争で」

「えっ」

「戦闘が激しくなったころ、北軍が黒人部隊を作ったんです。マサチューセッツ第五十四連隊が最初でした」

「ほう」

「戦争を優位に進めるため。そして北軍の考えを黒人とも共有するためだったのでしょう。奴隷解放の戦いですから、多くの黒人が志願しました。私も。十三歳でした。こちらでも鼓手は少年が務めるのです」

マイルスと目が合った。わざわざ声を掛けてきた理由が飲みこめた気がした。

「黒人に兵士が務まるのか、と疑問の声が。だから、私たちは常に勇敢に戦いました。そのぶん、戦死者も数多く出て……。屍《しかばね》の山のなかで、私はドラムを叩きつづけたのです」

「……今の話を先に聞いていたら、鼓手をしていたなどと、とても言えませんでした」

修平はかぶりを振った。

「シューヘイは戦場には？」

「出ていません。将軍の城を警護した経験が一度あるくらいで。お恥ずかしい」

幕末も幕末、戊辰《ぼしん》戦争の起きるふた月前にさかのぼる。一八六七（慶応三）年十一月、幕府の要請で高遠藩の歩兵三十名が江戸城一ツ橋御門の警護に赴いた。銃剣を担いだ年長の兵にまじって十七歳の鼓手・修平も行軍した。歩兵はズボンをはいて丈長の詰襟《つめえり》上着を五つボタンで留める。制服は西洋風ながら頭には髷《まげ》が載る。当時は珍妙ないでたちとは思っていなかった。

大政奉還間もない世情は戦の予感で不安に満ち

ていた。江戸へと歩を進める修平には徳川家のために死ぬ悲壮な覚悟があった。いざ着いてみると意外にもそこまでの緊迫感がない。拍子抜けしたことを覚えている。

「何が恥ずかしいんです。こうして生きている、それが何よりじゃないですか」

マイルスが両腕を大きく広げた。

「ああ、たしかに。私の仕えた城主は、そののち例の戦争が起きると、今度は皇帝の側につきました。それも生きのびるためです。臣下も誰ひとり死にませんでした」

この立ちまわりも高遠藩に限った話ではない。おかげで今の修平がある。

「寝返り、ですか。歴史の中では、よく起きていることですよね」

「私たちが警護した将軍の城は今、皇帝の住まいになっています」

修平は皮肉な笑みを浮かべてみせた。

「ハッハ、それもよくある話でしょう」

朗らかにマイルスは笑った。

「マイルス、あなたはずいぶん勉強しているようですね。仕事は何を」

「私ですか。私は靴工場で働いています。勉強……本は好きで、よく読みます。図書館のものを」

「黒人のための大学もできたと聞いていますが」

「とてもそこまでは。生活が第一ですから」

掌《てのひら》をひらひらさせたマイルスは「でも」と言葉を継いだ。

「夢があるんです。教師になるという」

瞳が輝いている。

「それはすばらしい夢ですね。教育は国の礎《いしずえ》です。次の時代を切りひらくのは子どもたちですから。マイルス、応援します」

修平は自分から改めて握手を求めた。

「ありがとうシューヘイ。私は、まずこの訛りを直そうと努めています。ボストンのデフスクールで矯正指導を受けているんです。お手伝いをしがてら、毎週火曜日に」

「デフ。耳の不自由な?」

「はい。本来はそのための学校です。スクールで教えるベル博士の編み出した『視話法』というのがあって。図に合わせて舌や唇を動かすと、自分の声が聞こえなくても、正しく発音することができるんです」

「そんな方法があるとは。画期的じゃないですか」

「ええ、ええ。ベル博士は、まだ三十歳ですが人格者です。博士は誰も差別しません。『視話法』は万人のものだと常々おっしゃっています」

一段と熱っぽくマイルスは語る。その熱を包みこむように晩鐘が響いた。

＊

ブリッジウォーター師範学校は二年制をとる。その一年次が五月で終わった。修平ら学生は成績を受けとって三ケ月の夏休みに入った。

州内の日本人留学生は月に一度ボストンで集まりを持つ。誰がつけたか、会には「ライジングサン・ソサエティ」の名がある。会場は留学生を監督する駐在員・緒方正智《まさとし》の私邸。決して堅苦しい場ではない。緒方も含めて参加者はほぼ同世代といっていい。立食形式のパーティーで自由に親睦を深める。懐かしい日本語で存分に会話を楽しむ。六月のライジングサン・ソサエティはいつにも増して開放感に溢《あふ》れていた。

修平は友人の我孫子《あびこ》賢太郎を見つけて近寄った。

我孫子とはこの会を通じて知りあった。修平より二つ若いが留学生としては先輩にあたる。十九

歳で渡米して小学校に入学、英語をＡＢＣから学んだ。苦労の末、先だってハーバード大学に合格している。

「いよいよ入学だな。意気揚々といったところじゃないか」

にこやかに迎える我孫子へ修平はそう声を掛けた。

「遅ればせながら、ね。大学南校（後の東大）きっての秀才だった相沢からしたら、亀の歩みに思えるだろう」

前髪をかきあげながら我孫子が言葉を返した。彼ひとりがこの場で髪を撫《な》でつけていない。何につけて構わないところがある。

「とんでもない。君はじつに立派だ。尊敬に値する」

「じゃあ素直に喜ぶとするか。あとは君にあやかって、早くお役につければ言うことなしなんだがな」

からからと我孫子は笑った。

維新後すぐ、新政府は東京に大学を設立した。各藩から選《よ》りすぐりの若者が集められた。

すでに出府して英語を学んでいた修平を高遠藩は送りこんだ。卒業を待たずにその修平を文部省が登用した。大抜擢《だいばってき》といまだに語り草になっているらしい。

ワイングラスを手に緒方が二人のもとへ近づいてきた。お供よろしく数人の新しい留学生がつき従う。緒方はまず我孫子の合格を祝福した。次いで修平に、

「相沢は、進級おめでとう、だな」

と言って切れ長の目を細めた。

修平と緒方はかつて大学南校で机を並べた。緒方の方がひと足先にアメリカ留学を果たしてハーバード大学を卒業した。それだけにパーティーで

十字路（上）

の立ち居振る舞いが板についている。

「いや、それが……」

修平は口ごもった。

「ん、まさか落第なんてことはないよな？」

「進級は進級だ」

「何だ、なら成績か。どうせ君のことだ、B（良）が一つ二つあったとかで憂いているんだろ」

「こと相沢に限れば、たとえBが一つでも僕は十分驚くけどな」

横から我孫子がつけ足した。

「Bはない。一科目以外はA（優）だった」

「ふぅん。となるとその一科目はC（可）か。へえ、君がなあ」

緒方は信じられないと言いたげに首を捻った。

「本当はCでもない。D（不可）だ。ただそれだと落第してしまう。『保留』のうえで仮に進級という扱いに。お情けといっていい」

「えっ」

緒方と我孫子がそろって声をあげた。

「『唱歌』の単位が認められなかったんだ」

「はあ、唱歌？　どういうことだ」

緒方が訊《き》いた。

「音程がものにならなくて。C（ド）、D（レ）まではいいんだが、E（ミ）、F（ファ）となると変に上がりすぎて外れる。どれだけやってもだめだった」

ため息まじりに修平は説明した。

「唱歌を学んだ経験が僕にはないから何とも言えないが、そんなに難しいものなのか？」

「いやいや」

我孫子が顔の前で手を振って、

「僕は、こっちの小学校で授業を受けた。オルガンに合わせて童謡を歌うだけだ」

と、あっさり言った。

「ところがそれがうまくいかないのさ。担当の教師を……クララ・アームズというご婦人なんだが、苛立《いらだ》たせてばかりで」

修平はうなだれた。

あの日、パレードでドラムを演奏した直後に唱歌の授業が入っていた。同級生たちが教壇のアームズ女史に修平の活躍を報告した。聞いた女史は一瞬「へえ」という表情を浮かべた。それに続いてこんな言葉を口にした。

「確かにシューヘイは、リズム感は悪くないわ。これでリズム感まで悪かったら、もう致命的よ」

女史が特に修平にだけ厳しいというわけではない。ちょっとした毒舌には慣れている。その時だけはなぜか頭にきた。ブラウスの襟元で常に緩みなく結ばれているリボンまでが憎らしく思えた。

「そんなに出来が悪いのか」

まだ緒方は腑《ふ》に落ちない顔をしている。

「校長のボイデン氏も心配して一度見にこられた。『オーマイゴッド』と、絶句だ」

「ほう、そこまでいくと聴かずにはいられないな。なあ相沢、座興にひと節披露してくれよ」

にやにやしながら我孫子が軽口を叩いた。

修平は「なにっ」と睨《にら》みつけた。さらに怒鳴りかけたところで急にやけになった。

「よし、いいかよく聞け。“Father Abraham”、訳するなら『エイブラハムの息子たち』といったところだ。動作もついている。いくぞ」

Father Abraham had seven sons.
And seven sons had Father Abraham.
And they never laughed and they never cry.
All they did go like this: Right arm……

真剣そのものの修平を前に我孫子、緒方が顔を見あわせる。堪えきれないといった風に笑いだした。周りの留学生たちも笑う。もとの曲を知らなくても調子外れだとわかるらしい。真顔で手足をぎごちなく動かすのがまた滑稽に映るのだろう。

意地になって修平は唄いつづけた。

Right arm and Left arm,
Right leg and Left leg,
Turn around, That's it.

「終わりっ！」

声を張りあげて修平は「気をつけ」の姿勢をとった。一同が笑いながら送る拍手にも表情を緩めなかった。

「まあ『オーマイゴッド』……かな。それで、保留というのは？」

なだめるような口調で緒方が尋ねた。

「ボイデン校長は『日本人の君が、異国の歌をうまく唄えなかったとしても無理はない。この際唱歌の単位は免除してあげよう』と言ってくださった」

「なら、よかったじゃないか」

「だめだ。とても甘えるわけにはいかない」

「なぜ？」

「学制が発布されて教科が定められたよな。唱歌はその一つだ。だが『当分これを欠く』と但《ただ》し書きが付く。何をどう教えるか、まったく見当もつかないからだ。日本中で小学校は開校したものの、唱歌だけが時間割に入らないまま、もう一年半になる。そんな状態をいつまで続けるというんだ。僕が修得を諦めたら『当分欠く』は、さらに延びることになる」

「ふぅん。それはまあ建前として、何より悔しいからなんだろ？」

「……ああそうだ。もう悔しくて悔しくて。その夜は下宿で泣き明かした。翌日、僕から評価を保留してくれと願い出たんだ。夏休み明けまでに何とかするから、と」

「あてでもあるのか」

「ない」

「困った男だな」

緒方は西洋風に肩をすくめた。

「そこまで唱歌が必要か？」

突然我孫子が不満げに言葉を挟んだ。修平はハッと顔を向けた。

「どういう意味だ」

「唱歌を日本の教育に組みいれる必要がそもそもどこにある、ってことだ。僕は、当分どころか永久に唱歌の授業などなくていいと思う。日本には合わない。教育は富国強兵のために行われるべきものだろ。西欧化、西欧化と何でもかんでも真似るのは愚か者だ。役にたつものだけを受けいれればいいのさ」

　早口でまくしたてる。反論しようとして修平は言葉に詰まった。我孫子に賛同するもうひとりの自分がいた。

「おや我孫子君、西欧化を謳《うた》えば愚か者とはまた。ここで森先生の悪口は、いかがなものかな」

もったいぶった調子で緒方が言った。

森先生——外交官・森有礼《もりありのり》を知らない留学生はいない。教育を軸に森は福沢諭吉らと西欧化政策を推し進めている。留学制度の土台も森その人が築いたといっていい。

「待て待て、僕はそんなつもりで言ったのでは」

我孫子はみるみる狼狽《ろうばい》した。

「そういうことになってしまうんだよ。もし森先生のお耳に入ったら、日本へ即送りかえされるかもな」

「ウソつけ、そんなことは」

「いやいや、留学生にあるまじき行いがあったとして帰国させられた者が現にいる。あながち、ウソでは、ない」

十字路（上）

「おいおい、おどかすなって」

二人が続けるやりとりをよそに修平は考えこんでいた。唱歌の意義を主張できないのが歯がゆい。その様子に緒方が気づいたとみえる。

「そうだ、相沢。森先生で思い出した。君にとって救世主となりそうな人物がひとりいるぞ」

「え」

「ルーサー・ホワイティング・メーソン。音楽教師として、東部各地で長年教えてきている。唱歌教育に関しては、第一人者だそうだ」

「森先生と、どんな関係が」

「ニューイングランド音楽院に、以前森先生が推薦依頼をなさったんだ。日本の師範学校で唱歌の指導をしてもらえそうな教師を。候補としてメーソン氏の名前が挙がっていた。なんでもアメリカでやるべきことがあるとかで、断られたらしいが」

「そのメーソン氏は、今どこに」

「ここ、ボストンだよ」

「本当か。ならぜひ教えを乞いたい」

「わかった、紹介状を書こう。来週にも訪問してみるといい」

「ありがとう、助かる」

修平は我孫子に向きなおった。

「もしかすると我孫子、君の言うとおりかもしれない。ただ、僕にはまだ結論が出せないんだ。もう少し悪あがきさせてくれないか」

「勝手にしろ……なんて言わないさ。その悪あがき、応援させてもらう。森先生のためにもな」

我孫子は緒方に目くばせして笑った。

ボストンから修平が下宿に戻ると千代の手紙が届いていた。ふた月前に送った手紙の返信ということになる。

〈……エイブラハムの息子たちの楽譜ありがとうございました　とても楽しい曲ですね　オルガンで弾《ひ》けるようにお稽古しています　振り付けもあるとか　あとで教えてください　かしこ〉
「のん気なものだ」
そうつぶやいて修平は最初から読みかえした。

*

ルーサー・ホワイティング・メーソンは五十六歳。カナダと接するメーン州の出身。ボストンのアカデミーで音楽を学んだ。ペンシルベニア州フィラデルフィア、ケンタッキー州ルイビル、オハイオ州シンシナティで教鞭《きょうべん》をとってきた。十二年前の一八六四年にボストンへ招聘《しょうへい》された。音楽教材の開発実績を買われてのことだという。

　呼び鈴に応えてメーソン本人が現れた。紹介状に目を通すやいなや修平を従えてレッスン室へ直行した。彫りの深い顔はいかめしい。修平はすっかり気圧《けお》された。

　おもむろにメーソンはピアノに向かう。さっそく音階練習が始まった。修平はＣＤＥＦＧＡＢ（ドレミファソラシ）で発声するよう言われた。

　ＣＤ――ＤＣ、ＣＤ――ＤＣ
ＣＤＥ――ＥＤＣ、ＣＤＥ――ＥＤＣ
ＣＤＥＦ――ＦＥＤＣ、ＣＤＥＦ――ＦＥＤＣ………

　メーソンは数度うなずくと上半身を修平の方へねじった。よく見れば目元は優しい。

「これは、君個人に由来するものとも言いきれない」

「はあ」

「今発声してもらった通り、西洋音楽は、ＣＤＥＦＧＡＨ七つの音階からなる」

　メーソンはドイツ語で『ツェー・デー・エー・

十字路（上）

エフ・ゲー・アー・ハー』と発音した。

「ん、H《ハー》？　ドイツ語ならA《アー》の次はB《ベー》ではないんですか」

「ああ、失礼。音楽家の間では、ドイツ音名を使うのが普通なのでね。ドイツではB音はHと表される」

そう断ってからメーソンは七音をピアノでゆっくり鳴らした。

「へえ、ツェー・デー・エー・エフ・ゲー・アー・ハーですか。わかりました」

「ところが君の国、日本の音楽には、もともと五つの音階しかない。あえて西洋風に言うとしたら、CDEGAだな」

と、今度は五音連ねてみせた。

「本当ですか」

「知らなかったようだね。たとえば、この曲なども五音階だ」

さらりと旋律を弾《ひ》いた。すぐに『木曾節《きそぶし》』だとわかった。思わぬ場所で思わぬ曲を耳にして修平は呆気《あっけ》にとられた。

「びっくりしたかい。私は異国の曲が好きでね。聴くと旅行している気分になれるから。いろいろ集めている。フフフ」

初めて見せた笑顔は子どものようだった。

「それはさておき、君がE、Fあたりから音をとれなくなるのは、そんなわけだ」

「直らないのですか」

「直せる。ただし単調な反復練習が必要だが。我慢できるかね」

「できます。お願いします」

修平は深くお辞儀した。その所作をメーソンがめずらしそうに見まもった。


日をおかずに修平はボストンへ通った。メーソ

ンはいつも温かく迎えた。

これがレッスンとなると一変する。妥協を許さない。ＣＤＥＦ——ＦＥＤＣだけで二時間丸々費やした日もあった。特にＦとＢについては口の開け方や舌の位置まで細かく指摘が入る。

指導を受けながら修平はマイルスから聞いた「視話法」を重ねあわせた。うまく出せない音声を正すという意味では相通じるのかもしれない。マイルスはボストンへ訛りの矯正に通っているのだと話していた。

（きっと彼も同じように苦労しているのだろうな）

*

ひと月もするといくらか練習の成果が現れてきた。メーソンは一歩進めて唱歌を課題曲として用いるようになった。

その日も修平に楽譜が一枚渡された。

「今日は『オー、スザンナ』でいこうと思う。知っているかね」

メーソンの顔は明らかに『イエス』を期待している。

「……いいえ」

『ノー』にメーソンは小さく口を尖らせた。

「……フォスターというわが国の音楽家が作った曲だ。一度唄ってみせよう」

どの曲でもメーソンはまずピアノの弾き唄いで手本を示す。そのたびに修平はメーソンの歌声に聞きほれていた。さすが発声法を極めているだけのことはある。

軽快な序奏に続いて歌が始まった。

I come from Alabama
with my banjo on my knee;
I'se guine to Lou'siana,

十字路（上）

My true lub for to see.……

修平は妙なことに気づいた。メロディになぜか聞きおぼえがある。

（たしか江戸、いや改称したばかりの東京で……）

あいまいな記憶を辿る。

メーソンの歌はその間も進む。

Oh! Susanna,
do not cry for me; ……

『そうだ、わかった！』

突如飛び出た日本語にメーソンの演奏が途切れた。

「どうしたね、シューヘイ」

「私は、この曲を聴いたことがあります。日本で」

「ほう、それはまた」

「七年前、私は中濱《なかはま》万次郎という日本人に英語を習っていました。その万次郎氏が鼻歌でよくこれを」

「マンジロー？」

「万次郎氏は、少年の頃漁師でした。太平洋で遭難して、アメリカの捕鯨船に救助されたそうです。マサチューセッツ州で暮らしたのち、帰国しています」

「へえ、そんな人物が日本にねえ」

「アメリカでは、ジョン・マンと呼ばれていたと聞きました」

「ふむ、私はそのジョン・マンを知らないが、ボストンっ子は日本人と見ると名前は『ジョン』だと決めつける向きがある。今の話から来ているのかもしれないな」

アメリカ生活で万次郎が得た知識と英語力に幕府は目をつけた。開国後、万次郎は通訳として活躍した。大学南校入学前、修平は噂《うわさ》を聞きつけて

その門を叩いた。

「つまり、シューヘイの英語はジョン・マン仕込みというわけだ」

「ええ、そういうことになります」

「そのジョン・マンが『オー、スザンナ』を、か。彼がアメリカにいたのはいつかね」

「たしか私が生まれた頃日本に戻ってきたはずですから、一八五〇年までの約十年かと。最後は、西部で掘りあてた金をもとに帰国を果たしたのだとか」

「一八五〇年……金。ああ、ゴールドラッシュじゃないか」

ポンとメーソンは手を打った。

「ゴールドラッシュというと」

「カリフォルニアで金鉱が見つかって、一八四九年、西部へ男たちが殺到したんだ。一攫千金《いっかくせんきん》を夢見て。彼らは『フォーティーナイナーズ』と呼ばれた」

「万次郎氏は、そのフォーティーナイナーズだった、と？」

「ああ間違いない。で当時、彼らフォーティーナイナーズが愛唱したのが『オー、スザンナ』だった。そこからたちまちアメリカ中に広がる。まるで新しい国歌にでもなったかのようにね」

メーソンの手ぶりが大きくなる。

「アラバマの男がバンジョーを手に、遠く離れたルイジアナの恋人に逢いにいく。『オー、スザンナ』は、そんな歌だ。フォーティーナイナーズたちは、遥《はる》かなる西部に眠る金を恋人に見立てて歌いあったのさ」

聞きながら修平は改めて楽譜の歌詞を目で追った。陽気な男子学生たちの姿が浮かんだ。

「いかにもアメリカらしい歌ですね」

「そうだろう、そうだろう」

十字路（上）

満足そうにメーソンはうなずいた。

「ゴールドラッシュが起きたとき、私は三十歳だった。西部へは向かわなかったが、フォスターの歌はよく唄ったものだ。そう、ファン。彼に憧れていた」

メーソンはフォスターについて語りだした。かつての恋人でも懐かしむような表情で。

＊

メーソンの話すフォスターの前半生を修平は二重に興味深く聞いた。出てくる地名がメーソンの経歴にあった勤務地と次々重なる――

スティーブン・コリンズ・フォスターはメーソンの八歳下にあたる。**ペンシルベニア**州で生まれ育った。アカデミックな音楽教育になじめなかったフォスターはほぼ独学で作詞・作曲に励んだ。十八歳で**フィラデルフィア**の楽譜出版社を通して処女作を発表する。その後**シンシナティ**へ移る。兄ダニングが経営する**オハイオ**川河畔の船会社で働きながら曲作りを続けた。この地でフォスターは『オー、スザンナ』をはじめとする人気曲をいくつも生み出した。二十四歳のとき結婚、一女をもうける。代表曲『**ケンタッキー**のわが家』は妻と訪れたケンタッキー州**ルイビル**近郊の印象がもとになっているという……。

「メーソン先生、これは偶然ですか。それとも、フォスターゆかりの土地をあなたが選んで渡り歩いてこられたのですか」

修平は訊かずにいられなかった。

「よく気づいたね。誰にも明かしていないが、後者だ。私はフォスターの流行歌にすっかり魅せられたんだ。創作の秘密を探りたくてね」

「あの、いま流行歌とおっしゃいましたが、楽

譜を出しただけで、ひとつの歌がそう簡単に広まるものなんでしょうか」

「ミンストレルショーで繰り返し演奏されたのさ」

「ミンストレル、ショー。舞台ですか」

「そう、南北戦争前の時代、オハイオ川沿いの各地で催された舞台だ。シンシナティからルイビルにかけてが、特に盛んだった」

「中身は、どんな」

「歌やダンス、それに寸劇だな。白人が黒人に扮《ふん》して演じる」

「扮する？」

何か嫌なものを感じて修平は思わず眉をひそめた。

「まず顔を靴墨などで黒く塗って、だらしない服装で、声色や訛りも真似る」

「それは、差別ではないですか」

「……そう、差別だった。誇張した黒人奴隷の姿で観客を笑わせたんだ。白人の観客を」

メーソンは目を伏せた。

「北部に奴隷制度は、なかったのでは」

「ないぶん、遠く感じていた。そういうことだったと思う。考えなしに私たちは楽しんでいた。サーカスの道化師でも見るように」

「そこにフォスターの歌が？」

「黒人奴隷がよく口ずさんだ民謡がある。それをもとに作ったミンストレルソングが用いられたんだ。フォスターも作者の一人だった」

「『オー、スザンナ』はミンストレルソングなんですね」

「そうだ。歌詞にも黒人特有の言い回しや南部の方言が取りいれられている」

「うーん」

修平は小さく唸《うな》った。

「許せないかもしれないな。実際、北部で奴隷

十字路（上）

制度への批判が高まるにつれて、ミンストレルショーの流行は下火になっていく。批判の目はフォスターにも向けられた。……ストウ夫人の『アンクル・トムの小屋』は読んだかね？」

「ああ南北戦争のきっかけになったという……まだ読んでいません」

「雑誌連載を経て一八五二年に『アンクル・トム』は出版された。北部の人間は、奴隷制度がいかに非人道的か読んで知った。そこから批判が一気に広がったんだ。あれだけ話題になった物語だから、フォスターもおそらく読んだだろう。彼が初めて南部へ旅行したのは『アンクル・トム』が本になる直前だ。兄の船でニューオリンズへ、な。それらの影響か、フォスターの作品にも変化が表れる。奴隷の悲しみを歌にするように。歌詞の黒人訛りも消えていった」

メーソンの沈痛な面もちが悲劇を暗示しているように見えた。

「その後、フォスターは？」

「一八六一年に南北戦争が始まると、北軍のために軍歌を作って応援した。しかし、これで今度は南部人から嫌われることに。北部での批判もくすぶりつづけた」

「どこにも行き場がないじゃないですか」

「彼は妻子と別居、ニューヨークのホテルで一人暮らしを。そして部屋で倒れているところを発見される」

「病気ですか」

「大怪我。過失、のようだ」

「それで」

「病院に運ばれて三日後に息を引きとる。一八六四年一月十三日。三十七歳の若さだった」

「あ、一八六四年といえば」

「南北戦争の終わる一年前だ」

「いや、それもそうですが、先生がボストンへ移ってこられたのが、その年じゃなかったですか。もしかして関係が」

「ボストンからは、ずっと招かれていて、断りつづけていたんだが。ニューヨークに近いことから、引き受ける決断をした」

「それは、つまりフォスターの死について……」

「ああ、調べるためだ」

きっぱりとメーソンは言った。

「何か不審な点が？」

「不審以前、だな。私はフォスターの死を新聞のごく小さな記事で知った。それだけではとても信じがたくてね。だから自分で確かめようと思ったんだ」

「そこまでフォスターのことを」

「フォスターは新しい音楽を作り出した。ヨーロッパの真似ではない、アメリカ独自の音楽を。黒人の音楽と白人の音楽を交差させて。私はそう評価している。しかし、彼には誤解がつきまとう。この上、死まで誤解されてはならない」

メーソンの表情が険しくなった。

「ニューヨークへは何度も？」

「数えきれない。関係者の話からフォスターの最期が明らかになればなるほど、新たな謎が出てきて。いまだに謎のままだ」

「謎？」

修平は身を乗り出した。


（下に続く）

出崎哲弥（でざき・てつや）
1964（昭和39）年生まれ。中学校の教諭（美術科）を務める傍ら、2011（平成23）年に泉鏡花と関東大震災をテーマにしたエッセーで赤羽萬次郎賞（北國新聞社、赤羽萬次郎顕彰会主催）に入賞、創作を志す。17年に退職し、執筆に専念。20年に東京都北区の「北区内田康夫ミステリー文学賞」特別賞、21年に「装束ゑの木」で文藝春秋社主催の第101回オール讀物新人賞。七尾市在住。

〈長期共同利用によるオーナー制別荘〉 和倉と金澤。3つの別荘、3つの贅沢。

スイー

別荘あえの風

別荘金澤小

和倉温泉加賀屋提携 別荘あえの風

体験宿泊・資料請求受付中

※部屋数に限りがございます。満室の場合は他の日程をお選びください。

選べる 15会員プラン	〈参考例〉 プレミアムメンバー 10年／契約金180万円 ※年14泊、全日:7日・平日(日～木)7泊※特定日除く

※登録料30万円、管理費3,000円/月が別途かかります。

お申し込み

ニューハウス
石川県金沢市西泉1丁目66
Tel.076-244-98
受付時間 9:00～17:00(土日祝除く

WEBでのご予約はこちらから▶
倶楽部リゾート 検索

生誕150年
近代を拓《ひら》いた先人の肖像

第4回
【最終回】

山《やま》崎《ざき》 延《のぶ》吉《きち》

日本をデンマークに農業で「興《こう》村《そん》」を実践

寄稿

金沢ふるさと偉人館副館長
増山 仁

「日本デンマーク」という言葉を聞いたことはあるだろうか。おそらく60歳以上の方であれば、地理の授業で習った記憶があるかもしれない。

日本を北欧デンマークのように世界的な農業国にする。大正時代末期から昭和初期にかけて先進的な農業経営による「興村《こうそん》」を愛知県の中央部、現在の安城《あんじょう》市で実践したのが、金沢出身の山崎延吉《やまざきのぶきち》だった。

安城市にはその名も「デンパーク」という約13ヘクタールの公園がある。

正式には「安城産業文化公園デンパーク」。３３００種類、30万株の植物が園内を彩る。１９９７（平成9）年にオープンし、２０２２（令和4）年9月には累計入園者１４００万人を達成した。山崎が「日本デンマーク」を目指して

奮闘した「興村」の志への誇りを伝える場所である。

山崎は1901（明治34）年、愛知県立農林学校（現在の県立安城農林高校）の初代校長となった。農業教育はこれ

山崎延吉の実践により、大正末期から昭和初期にかけて安城一帯は「日本デンマーク」と呼ばれた。この歴史をもとに公園として整備された「デンパーク」。「デン」には田園、伝統の意味がこもっている（安城産業文化公園デンパーク提供）

山崎 延吉の歩み

1873(明治6)年	旧加賀藩士の山崎有将《ありまさ》の次男として金沢に生まれる。
1894年	第四高等中学校を卒業。
1897年	帝国大学農科大学農芸化学科を卒業。台湾総督府殖産局に就職予定だったが、同局が廃止されたため、福島県蚕業学校の教員に。
1899年	大阪府立農学校に転任。
1901年	愛知県立農林学校の初代校長に。
1916(大正5)年	現在の三重県鈴鹿市に「我農園《がのうえん》」を設ける。
1920年	愛知県立農林学校の校長を退任。
1928(昭和3)年	衆議院選挙に無所属で出馬、愛知県第4区でトップ当選。
1929年	「私立農民道場神風《しんぷう》義塾」を設立。
1930年	安城女子専門学校の初代校長に。
1946年	貴族院議員に選ばれ、翌年の同院廃止まで在任。
1954年	81歳で死去。

でいいのか。かねてから山崎は疑問を抱いていた。知識偏重で、汗をかくことを嫌った結果、役に立たない学問になっているようにも思えていた。山崎は次の三つの方針を掲げ、実践した。

◆教育は、勤労主義でなければならない

◆教育は、学校のみに閉じ込めておくべきではなく、社会に延長すべきものである

日展評議員、光風会理事を務めた画家、大沢海蔵が1939（昭和14）年に描いた「山崎延吉肖像画像」。愛知県立安城農林高校が所蔵している

◆教育は、環境をよくしていかねばならない

勤労、実践を重んじる愛知県立農林学校の名は短期間のうちに全国に知れ渡った。

特筆すべきは「多角形農業」の実践だった。稲作一辺倒ではなく、養蚕、養鶏と組み合わせれば「三角形」に。さらに野菜を育てれば「四角形」に。そこに果樹が加われば「五角形」、加工品を追加すると「六角形」になる。もし米が不作だったり、農産物価格の変動があったりしても、経営上の危険は分散される。持続力のある農業の実践を山崎は説いたのである。

「多角形農業」を効率良く実践するためには、複数の農家による共同購入、共同販売などの組織が欠かせない。安城各地の講話講習会などを通じて、山崎は自らの理想を説いた。安城は大阪毎日新聞に「日本丁抹《デンマーク》」として報じられ、声価を高めていく。

人前での話、苦手だった

実は山崎はもともと、人前で話をするのが苦手だったようである。山崎は1873（明治6）年、500石取りの旧加賀藩士、山崎有将《ありまさ》の次男として小立野山崎町（現在の金沢市石引2丁目）で生まれた。第四高等中学校（後の四高）へ進学したが、ただ1人だけ農科を選んだ。その理由は『我農生《がのうせい》回顧録』によると「天地を相手に、黙々として働いて居ればよい」。静けさを愛する青年の横顔が浮かぶ。

帝国大学農科大学に進み、農芸化学科でサトウキビの研究を行っている。卒業後は台湾総督府の殖産局に就職す

「私立農民道場神風義塾」開塾式に臨む山崎（1929年5月）

安城農林高校には現在、初代校長を務めた山崎の胸像がある（安城農林高校提供）

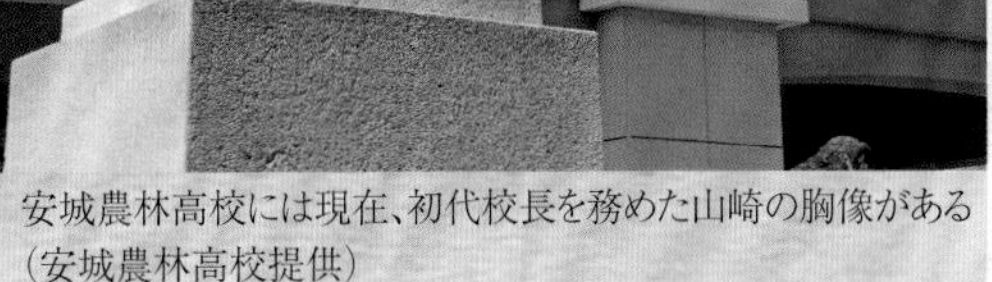

「我農園」に掲げられた「規（きまり）」。当初は食堂に、後に「神風義塾」の食堂に掲げられた

る予定だったが、同局が廃止されたために職がないまま大学を卒業。福島県蚕業《さんぎょう》学校を経て、愛知県にやってきたのである。

校長だけではなく、山崎は愛知県の農務担当課長や農事試験場長なども兼任し、農政家として手腕を振るう。やがて「興村」にとどまらず、農業による日本の社会変革を志すに至る。1916（大正5）年に、現在の三重県鈴鹿市に「我農園《がのうえん》」を設ける。山崎が校長を退任した後、昭和に入ると「私立農民道場神風《しんぷう》義塾」に発展する。1928（昭和3）年には教え子に推されて衆院選愛知県第4区に無所属で出馬、代議士を1期務めた。知多半島を今も潤す愛知用水の建設にも力を尽くした。

寡黙な青年は、情熱の赴くところ、多弁にならざるを得なかったのである。合理的な農業経営の改良を説く講演は日本の統治下にあった台湾や朝鮮半島にまで及んだ。講演の旅を山崎は「興村行脚」と呼び、多いときは年に200回以上、講演総回数は6000回以上を数える。日本農業の改良と発展を目指し、各地を駆け巡った生涯であった。（おわり）

近代《きんだい》日本《にほん》を支《ささ》えた偉人《いじん》たち

金沢ふるさと偉人館

Great People of Kanazawa Memorial Museum

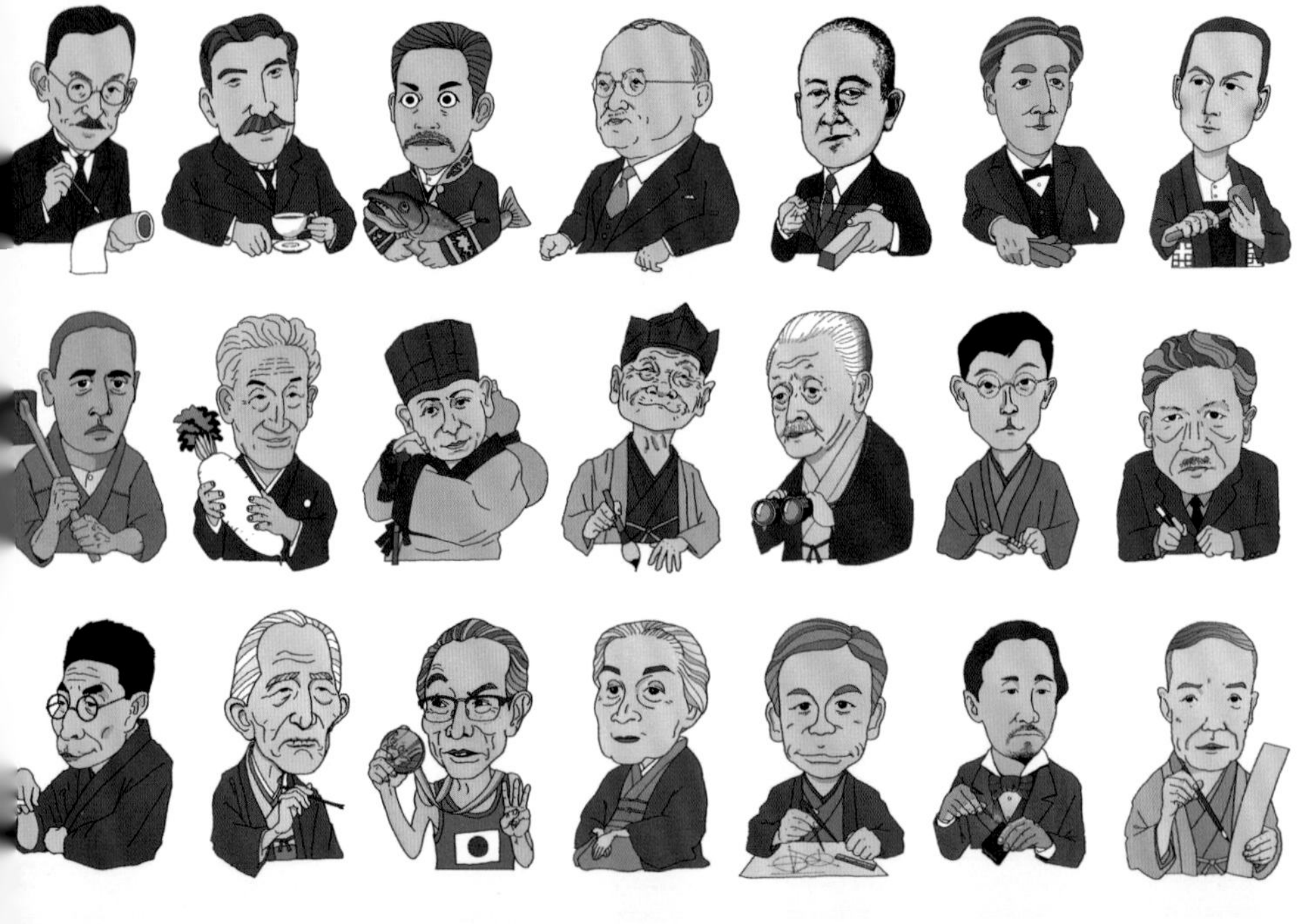

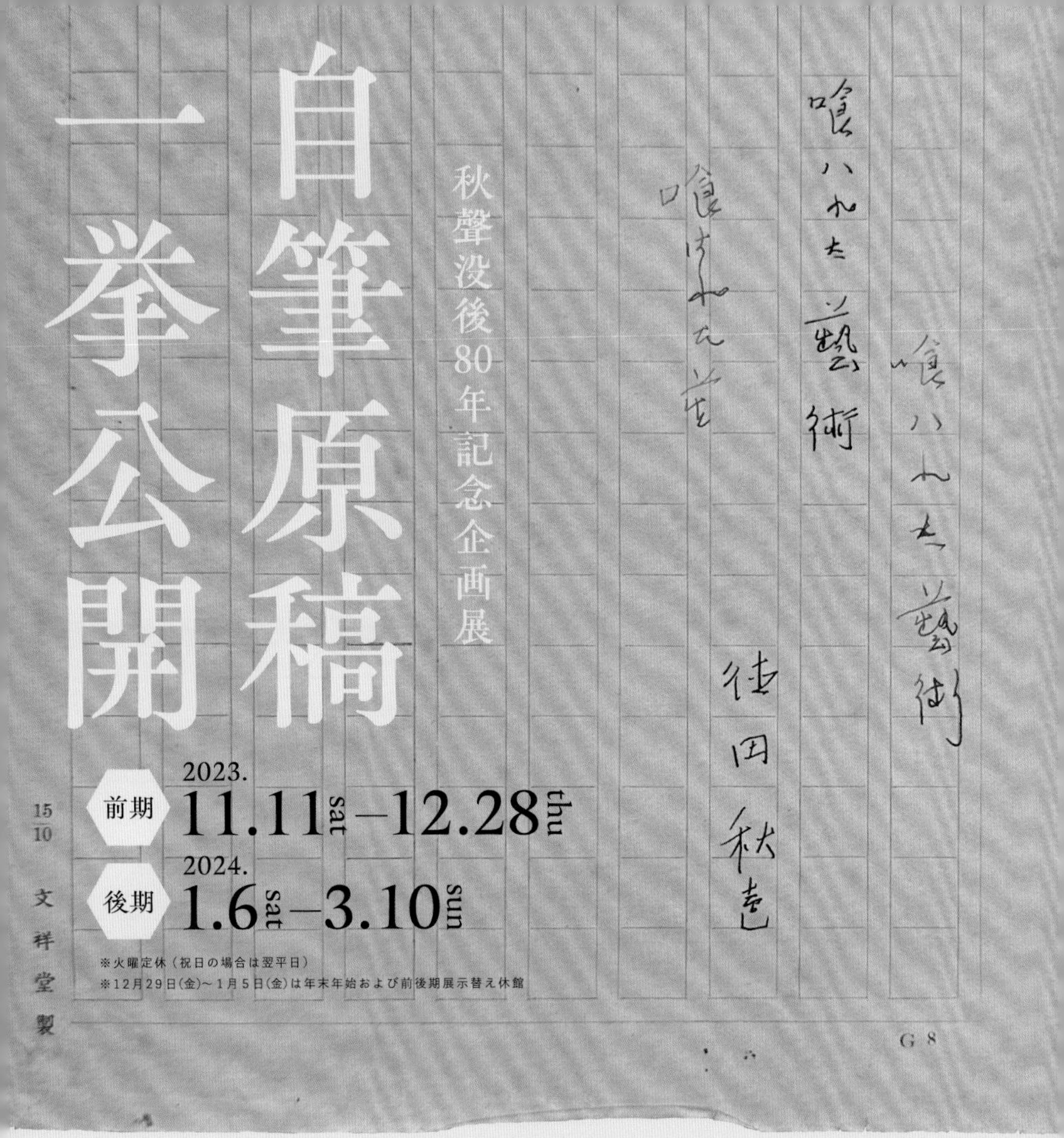

秋聲没後80年記念企画展

自筆原稿 一挙公開

前期 2023. 11.11 sat – 12.28 thu

後期 2024. 1.6 sat – 3.10 sun

※火曜定休（祝日の場合は翌平日）
※12月29日（金）～1月5日（金）は年末年始および前後期展示替え休館

展示予定の作品

※部分的に現存するもの、書き損じ、未定稿を含みます。前後期で、入れ替えをおこないます。実際の展示状況は記念館HPでご確認ください。

「乳母の里」
「山の手」
「別室」
「めぐりあひ」
「序にかへて」
「骨甕」
「妹の縁談」
「少年の哀み」
「古い家と人」（「余震の一夜」）
「遠足」
「風呂桶」
「きのこ」
「土に癒ゆる」
「青い風」
「赤い花」
「お蝶夫人」
「雑筆帖」
「部屋、解消」
「仮装人物」
「灰皿」
「喰はれた芸術」
「縮図」
「掉尾の偉観」
「日本のもつ最も好きもの」
「古里の雪」

Tokuda Shusei Kinenkan Museum
徳田秋聲記念館
〒920-0831 石川県金沢市東山1丁目19番1号 TEL.076-251-4300・FAX.076-251-4301
開館時間 9時30分～17時（入館は16時30分まで） 観覧料金 一般 310円・65歳以上 210円・高校生以下無料・団体（20名以上）
後援／北國新聞社
https://www.kanazawa-museum.jp/shusei/

千代女の里俳句館　スポット展示

千代女と加賀藩の画人

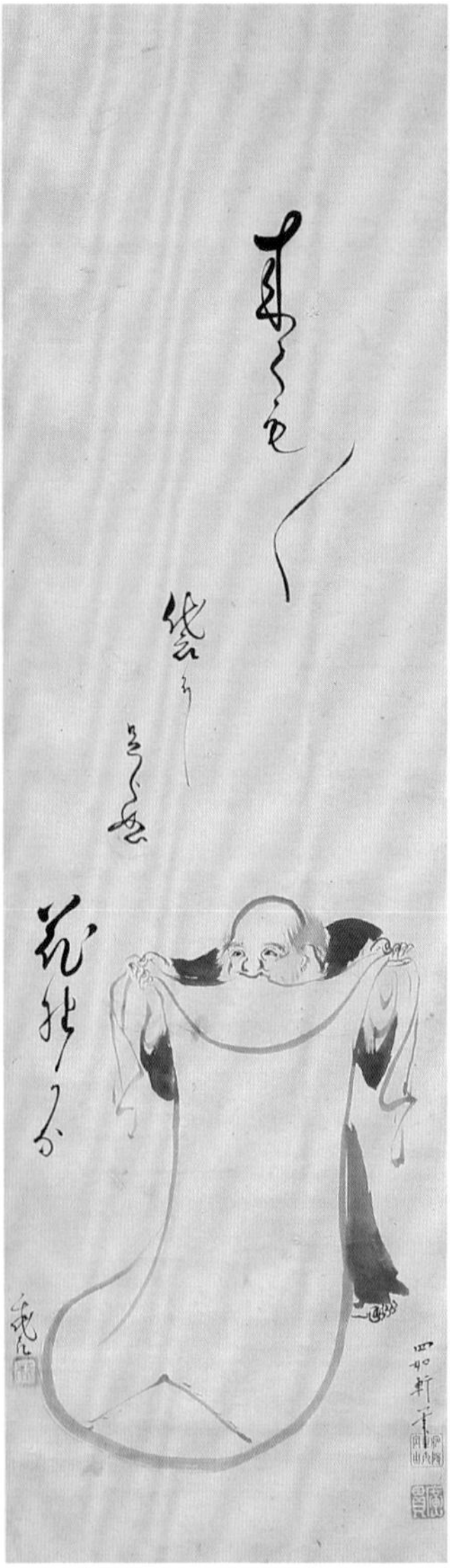

令和5年
10.13（金）
令和6年
—1.21（日）

当館が所蔵する千代女の俳画作品の中から、加賀藩御用絵師 梅田豊直、狩野派絵師（周誉・即誉）、前田土佐守家家臣 矢田四如軒といった加賀藩とかかわりの深い画人たちとの合作を展示します。

【開館時間】
9時～17時
（展示室入室は16時30分まで）

【休 館 日】
月曜日（祝日の場合は翌平日）
年末年始

【観 覧 料】
一　般　200（100）円
高校生　100（50）円
中学生以下無料

■（　）は20名以上の団体料金
■当館の入館券で、白山市立博物館、松任中川一政記念美術館にも入館できます。

千代女の里俳句館

〒924-0885　石川県白山市殿町310番地
TEL ： 076-276-0819
公式HP：https://www.hakusan-museum.jp/chiyojohaiku/
アクセス　JR松任駅下車　南口より徒歩1分
北陸鉄道バス「松任」バス停下車　徒歩1分
北陸自動車道白山ICより約10分
（松任駅南立体駐車場3時間無料）

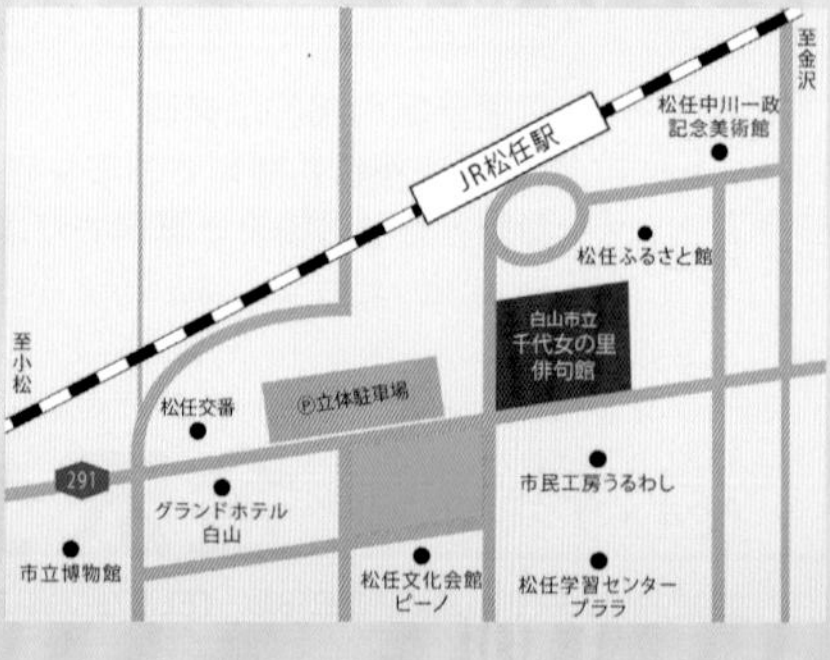

千代女

連載

小説千代女⑰

第2部

子《し》母《も》澤《ざわ》 類《るい》

挿絵　児島新太郎

「小説千代女」主な登場人物

千代《ちよ》

1703（元禄16）～75（安永4）

松任の表具屋の娘として生まれ、家業を継ぎ、52歳で剃髪《ていはつ》。73歳で亡くなるまで、幼いころから才を見せた俳諧の道に精進した。17歳のときに会った芭蕉の高弟各務支考《かがみしこう》が「松任の美しい才女」として紹介したことから、各地の俳人が訪ねてくる人気者となる。

哥川《かせん》

1716（享保元）～76（安永5）

千代女より13歳下の越前三国の女性俳人。16歳で遊女となり「泊瀬川《はせがわ》」として人気を集める。俳諧の才にあふれ、江戸の女性俳人からは、「照れ光れ加賀越前の月ふた夜」という句で、千代女と並ぶ俳人としてたたえられている。31歳のころ引退して豊田屋楼主となる。28歳のころ金沢で千代女と会って以来心の友となり、松任へ最晩年の千代女を訪ね、夜通し句を詠んだ。

お貞《てい》（真如院《しんにょいん》）

1707（宝永4）～49（寛延2）

江戸の芝神明宮の宮司の娘。加賀藩6代藩主の前田吉徳《よしのり》の側室の一人として迎えられる。吉徳の間に2男3女をもうけるが、吉徳が1745（延享2）年に亡くなると出家して真如院《しんにょいん》となる。吉徳死後の混乱で、後継者を巡る争いの中、毒殺未遂事件が発生。大槻伝蔵と共謀したとされ、密通も疑われた。1749（寛延2）年に死去。殺害されたとも自殺したとも伝わる。

前回のあらすじ

加賀藩主前田吉徳の側室であるお貞（真如院）が千代の夢の中にたびたびあらわれるようになった。なぜ、お貞ばかりが出てくるのか。伝蔵への嫉妬の念がわき立ってくる。長年付き合いのある珈凉《かりょう》は45歳にして初めて身ごもった。千代は民家の軒先で産着を目にする。女性として生まれたからには、できるなら子を産みたかった。千代はしみじみと思う。

●「小説千代女」は江戸時代に実在した人物から発想した小説です。主な参考図書は大河寥々氏『千代尼傳』、中本恕堂氏『加賀の千代全集』『加賀の千代真蹟集』『加賀の千代研究』のほか次の各氏・団体の著書、出版物です。桂井未翁、山根藏角利幸、殿田良作、中島道子、中野塔雨、山根公、綿抜豊昭、あらうみ、聖興寺、白山市立千代女の里俳句館、山中温泉芭蕉の館、雪垣、本多柳芳、木越隆三

加賀の千代女　福わら

千代は客のうしろ姿が街道を遠ざかるのを見送ってから、店に入った。

「ずいぶん話し好きなお客さんね」

客の湯飲み茶碗を片づけながら千代がひとり笑っていると、仕事の手を動かしながら幸助がいった。

「隠居して、暇を持て余しとる。家では厄介者あつかい、そこでここへ暇つぶしに来るんやろ」

「おっかさんは、上手にあしらってたわね」

「姉さんが相手してくれるおかげで助かるわ」

父がいたころは、母が店を取りしきっていた。千代は母の指示通りに動けばいいだけだった。

見習いや古参の職人が出入りする福増屋は、母の采配で明るい陽ざしが差し込むような家だった。

父母の死後、人の出入りがほとんどなくなった。弟が引き継いでから、この家は薄闇が下りたような寂しさに包まれている。

人手がないので、雑用の他、客との応対、届け物などのさまざまな用事が千代に降りかかってくる。

母がいなくなって初めて、店や家のことに心を砕いた母の苦労を知るのだった。

「頂いた餅菓子があるの。お茶をいれ替えるから、少しは休みなさいよ」

「これを日が暮れるまでに仕上げておきたい」

幸助は背を向けたままで言った。

表具の仕事でもっともむずかしいところは、裂地《きれ》の配色である。父の六兵衛はそういう取り合わせが巧妙だった。

なので幸助は、暇さえあれば父が残した古い布きれを出しては、あれこれ並べて眺めている。

そんな努力もあってか、細々とではあるが、書画帖《がちょう》や巻物の表装依頼は切れ目なくあった。

子供の時から父のそばで仕事の様子を見てきた千代だから、少しは手伝うことができた。だから幸助の苦労も、よくわかっていた。

「根をつめると身体に毒よ」

仕事に専念する幸助の背中を、いたわる気持ちで千代は声をかけた。どことなく父の六兵衛に似てきたようで、頼もしいと思った。

「今年は米の不作で、いまに一揆が起こるだろうなんて、おそろしい話だったわね」

「ふむ……」

「聞いとるの？」

「……」

まじめで、仕事熱心で、酒もたばこも口にしない幸助は、表具師という仕事に真剣に取り組んでいるようだ。

長居する客は坂田屋といい、菜種油《なたねあぶら》の卸問屋をしている。

松任の裕福な油商人で、父の代からの得意先だった。

松任は灯油が特産品で、町を流れる中村用水の西川には、菜種油を搾るための水車がいくつも連なるように回っている。菜種の価格安定のため、藩が買い上げて、油商人に売却していた。

現金収入になるからと、農民たちの間で栽培が盛んになった。そのおかげで今年の米の不作も、この町では何とか乗り切ることができるという。

坂田屋は千代を相手に、茶を三杯お代わりしながら長々と世間話をして帰っていったのだった。

「おれも、いずれ弟子を取れるように精出すよ」

ぽつりと幸助がいった。


台所で茶碗を洗っていると、幸助がお客だと呼びにきた。

前掛けで手を拭きながら出て行くと、店の戸口に頭巾《ずきん》をかぶった旅装束の女が立っていた。

晩秋の金色の陽ざしを受けて、すらりとした立った姿は、一陣の涼やかな秋風が吹き込んできたような水際だった風情である。

「おひさしゅうございます」

女が頭巾を取ると、粋筋に結った島田がぬれぬれとして、あでやかな色香が匂う白い面差しがあらわれた。

「おや、哥川《かせん》さん」

思いがけない人が来たものだ、と千代は目を丸くした。三国湊、滝谷出村の小女郎《こじょろう》、哥川である。

源氏名「泊瀬川《はせがわ》」と呼ばれる高等遊女であり、千代と同じ美濃派俳諧の手ほどきを受けている。哥川は俳号である。

「いきなり訪ねてきて、申し訳ありません」

「ほんと、驚いた。うれしいわ。紫仙女さんの句会でお会いしたのは、二年ほど前になるかしら」

「その節はご無礼をいたしました」

しかし、哥川が訪ねてくるとは意外だった。

会う前に何度か、俳人同士として文を交わしたことがあった。

格式の高い遊女であるから、馴染み客に艶文《つやぶみ》を書くのは仕事のうちで、手慣れているはずだった。

とはいえ、哥川の水茎《みずくき》の跡もうるわしい筆跡を見れば、教養の深さが感じられた。

文章もていねいで、千代に対しての尊敬と憧れが感じられた。

ところが句会で会った時の印象はよくなかった。なぜか千代に挑むような、底光りする目つきで千代を凝視したのだった。

嫉妬だろうか、と思った。

女流俳人としての名が世に広まっている千代を、見定めるような態度に思えた。他に理由がわからない。ただ、そういう態度だった哥川とは、どちらかといえば不快な思い出として残っている。

あの句会の後、紫仙女が急に亡くなった。それはもちろん哥川とは何も関わりのないことだが、こうして哥川があらわれたことで、また不吉を呼び込むような気がしてならなかった。

「街道を来ると、福増屋とあるのを見つけたものですから、ひとことご挨拶《あいさつ》と思いまして」

「お疲れでしょう。粗末な家ですが、入って休んで下さいな」

「とんでもない」

哥川は首をふった。

「私など、身分が違います」

「何をそんな」

「いいえ、私のような女が千代さんをお訪ねするのは、はばかりあることだと承知の上ですので」

言葉の上ではたいそう遠慮がちだが、哥川は身じろぎもせず、光る眼がじっと千代に注がれていた。ふっくらした唇は穏やかな笑みを浮かべているのに、まなざしは決して笑っていなかった。

その視線に含まれた鋭い毒は、二年前と変わっていなかった。思わず千代は目をそらした。

「お急ぎなら、仕方ありませんね」

哥川は土産だといい、おぼろ昆布や蝦夷《えぞ》のかずのこの包みを手渡し、去ろうとした。

すると幸助が、仕事場からあわてたように出てきて、千代の横に立ってひきとめるように言った。

「遠慮など無用ですよ。むさくるしい所ですが、どうぞ上がっていって下さい」

気恥ずかしそうな顔で、何ともやさしい口調の幸助に、千代はちょっと驚いた。いつもと違って鼻声になり、顔もいくらか赤くなっている。

哥川は流し目で、ゆったりとした笑みを幸助に返した。つやめいて、花がほころぶような笑顔だった。

「恐れ入ります。せっかくのお言葉ですから、ではちょっとだけ」

と、ようやく中に入った。

目立たないよう、町娘のように地味なこしらえをしているが、華のある女の色香は隠してもなお、匂うようにこぼれてくる。

その魅力で、幸助のような野暮天《やぼてん》の男の目尻を下げさせるのだと、千代は弟の顔をちらりと見た。

千代がお茶をすすめると、哥川はきれいな所作で湯飲みを手に取り、口へ持っていく。

その手は透き通るように白く、たおやかだった。花びらのような唇に触れる茶碗さえ、極上品に見えるほどだった。

同じ女の目からも、生つばを飲むほどの美しさだった。

千代は恥ずかしくなって、荒れた手をそっと袖で隠した。

「那谷寺へ紅葉狩りに行ってきたのです」

「それはお楽しみでしたね」

「白い岩はだに、紅葉の赤が照り映えて、輝くようでした」

「それだけで、句になりましょう」

「芭蕉が詠んだ名所ですから、前から行ってみたかったところでした」

馴染み客に誘われての旅だという。

「で、お連れさまは？」

「近くの茶店で一服しております」

三国湊から出航し、安宅で下船して那谷寺へ入ったという。そしてまた、本吉湊まで戻って、船に乗るといった。

「那谷寺なら、帰りも安宅の港へ戻れば近いはず。松任まで足を伸ばされたのは、なぜでしょう。もしや……」

哥川はうつむいたが、すぐに顔を上げて微笑した。

「外出できない身の上でしょう。こんな時こそと、わがままを言って遠回りしました」

「まあ」

「千代さんの足もとに近づきたい一心です」

客に連れられて行くといっても、外出には厳しい制約のある遊女である。哥川にはそうとう裕福で、権力のある後ろ盾がついているはずだった。

以前に、哥川が楼主から百日の休暇をもらって、江戸へ物見遊山をしてきたことが世間の話題となったことがある。

もちろん、哥川に入れ込んで、茶屋への払いとすべての旅の費用を惜しまない客がいてこその豪遊だった。

帰りはおびただしい数の江戸土産を五頭の馬に積んで戻ったという逸話は、哥川を三国の花と、世に高めた。

それから数年経つ。またも客と遠出とは、今も変わらず売れっ妓《こ》であるらしい。

哥川は店の造作や奥の仕事場を、興味深そうに見回した。

「千代さんは、こういう所で生まれ育ったんですね」

「雑然としてるでしょう。職人の家がめずらしい？」

「七つの時に三国へ売られてからずっと廓《くるわ》住まいの身。いまだ世間知らずのままです」

そう言って、仕事をする幸助と、目の前の千代を見比べるようにした。

「うらやましいわ」

「こんな質素な家が？」

千代はおっとりと笑った。

「これから冬に入ると、すきま風で凍えるわ、天井のネズミがうるさくて眠れないわ、というわび住まい」

「わび住まい、いい響き……」

「風流、といえないこともないわね」

千代が笑うと、哥川は湯飲みを持つ手を膝に置いて、しみじみと言った。

「廓にすきま風はありません。でも、桐の火鉢や、金糸を縫い込んだ打ち掛け、真綿を入れた絹の布団も、心を温めてはくれません」

こわばった低い声はもの悲しい色をおびていた。千代は、哥川の苦悩を感じた。

「せめては世間なみに、人としての暮らしがしてみたい……」

思いつめたような顔に、千代は言葉をなくした。

なじみ客に那谷寺へ遊びに連れられていっても、かりそめの自由である。また廓のせまい世界に帰らなくてはならない。

それでも、廓を出ての遠出は、好いた客となら果報である。

だが、それも廓の色恋だった。金次第でどうにでもなる売り物、買い物の女である。互いに嘘でかためた恋だった。

好きも嫌いもなく、なじみ客を大切にしなければならない境遇は、千代には考えも及ばぬ女の苦界だった。

「けれど哥川さん、あなたは泊瀬川という三国一のいい女として、その名を広めているじゃありませんか」

「ええ、以前お会いした二年前までは、私も盛りの時でした。意地と負けん気で、職を張ってきました。それが、私にできる唯一の生き方と、信じる他なかったのです」

哥川の心には、世間に対する憎しみの炎が燃えている。その醜いものを心に秘め、美しく着飾って微笑んでいるのは、どんなにかつらいことだろう。その暗い怒りが、普通の暮らしをしている千代への憧れと、嫉妬を呼び起こしたのかもしれなかった。

鋭いまなざしを千代に向けるのも、心の葛藤のあらわれだろうかと、千代は思い描いた。

哥川は暗い部屋の隅に目を向けた。

「私も、もう二十四です。小女郎としての地位は保っているものの、そういつまでも続くものではありません。客の相手をするだけの明け暮れ、窓から見る景色はいつも同じ。だから、廓の句しか詠めないのです」

「それが、あなたの強い個性とは思いませんか」

太刀持ちはそこまでにして青すだれ
殿たちの足跡にくしわかな畑

「とてもいい。哥川さんにしか詠めない句です」

「私が句会に出ると、しょうもない廓の句か、しょせん女郎の作る句やなと、殿方に侮るような色が浮かびます。その通りと、うなだれるしかないんです」

哥川は力なく笑った。

「あなたの句には、あなたの矜持《きょうじ》が感じられます。自信を持って、詠み続けてくださいな。私はあなたの句を、心待ちにしているのですから」

哥川はしばらく黙っていた。そしていった。

「この頃は、千代さん、句を詠んでいらっしゃらないのですってね」

「ええ」

「どうして？」

「……」

「どうして発句《ほっく》をなさらないのでしょう」

「この通りの小さな店だけれど、弟だけでは回らないので、私が手伝わないとやっていけないんです。毎日が精一杯、とても発句をやる暇がなくて」

「忙しいというのは、理由にならないと思いますよ」

哥川の目に、小さな光がともった。急に千代の方が、哥川にやり込められる形になった。

「二年前、坂尻屋さんの草庵《そうあん》の、背戸にある井戸端で、覚えていますか。俳諧を続けなさい、と私におっしゃいました」

あの井戸で……。

千代が忘れるはずはなかった。伝蔵と初めて契りを結んだ朝に、のどを潤すために水を汲《く》んだ井戸である。

同じ場所で、哥川と向き合った日、西に傾いた晩夏の日射しが、ねっとりと井戸を照らしていた。

「句を詠むことは、どんな時も心のより所になる、とも」

「ええ、そう言ったわ……」

「千代さんこそ、これで句を作らないつもりですか」

千代はしばらく口をつぐんだ。深々とため息をついてから言った。

「偉そうな口で哥川さんに意見などして、ごめんなさいね」

哥川は静かに千代を見た。

「心が平穏になれば、また始めるでしょうね」

「好きな殿御のことで悩むなんて、およしなさいな」

「えっ」

「男と女、惚《ほ》れた腫《は》れたも浮き世の縁、一緒になれない人を思い続けていては、迷い疲れるだけです」

「……」

「恋しい思いが募って句ができればいいけれど、千代さんは句を作らなくなった。身をほろぼす恋だと、本当はわかっているんでしょう」

千代はあきれて、一方的に話す哥川の美しい顔を見つめた。

「面白いお話ね」

千代は平然といった。

「私に、好きな殿御がいると?」

「そうなんでしょう」

哥川は意味ありげに目を細めた。

「世間知らずでも、男と女のことなら玄人ですからね。そういう勘は働くんです」

そして、片頬で笑った。

「ご冗談ばかり…」

千代は笑い出した。哥川の声は、仕事場にいる幸助の耳にも聞こえているはずである。幸助にも届くよう、千代ははっきりといった。

「私、この年ですよ。哥川さんのような美人でもあるまいし。けれど何とまあ、つやめいたお話でしょう。若返った気持ちになりましたよ。哥川さんは楽しい人だわ」

千代はつとめて柔らかく受け流したが、背筋には寒気《さむけ》が走っていた。

何の根拠もないはずだった。伝蔵とのことは、珈涼《かりょう》の他は誰も知らないことだった。

なのに、胸のうちを素手で探られたような、ぞっとする気分だった。

それにしても……。

わざわざこの話をしに、哥川が訪ねてきたような気がした。恋の手だれである女の勘が、あの目の鋭さにあらわれているのかと思うと、見透かされているようで恐ろしかった。

哥川はそれ以上、何もいわず、いとまを告げた。

哥川の突然の来訪が、千代の心をざわめかせたようだった。

その夜、久しく見ていなかった江戸のお貞《てい》が、また夢見にあらわれたのである。

それは……。

享保二十（1735）年九月十七日のこと。

江戸に名残の暑さをもたらした蒸し暑い日の夕方だった。

加賀藩江戸屋敷の本郷邸の奥で、側室お貞が、無事に吉徳公の御子を出産した。

お貞にとっては、二度目の出産である。

経産婦であり、お産は軽かったが早産になった。予定日より半月以上も早かった。

そのため、赤ん坊は標準よりも小さく産まれたが、産声はたいそう大きかった。

お貞は産褥《さんじょく》で、疲れきっているのにもかかわらず、産声を聞いたとたんに息を乱しながら頭をもたげて、産婆に聞いた。

「どっち?」

お貞は声をしぼり、あえぎながら叫んだ。

「男の子?　ねえ、男の御子なんでしょうね」

「はい、お方さま。立派な男の御子さまですよ。御男子のご誕生、まことにおめでとうございます」

お貞はそれを聞くと、大きな息をついて、崩れるように枕に頭を落とした。

見開いた目に大粒の涙が盛り上がり、目尻をつたって流れた。

安堵《あんど》の涙だった。

「とうとう男の御子を上げることができた」

この子を懐妊したとわかった時は、天にも昇る気持ちだった。

何が何でも男子を産みたい、その願いが通じたのだと驚喜した。

やがて臨月が近づいてくると、にわかに心配になった。

無事に生まれてくれるだろうか。産後、果たして自分の命が、子とともにあるだろうか、と案ずるようになったのだった。

しきりに、妹お民のことが思い出された。

お民は吉徳公の側室となって、次男の亀治郎さまを産んだが、二人目の出産がひどい難産で、若い命を落としたからだ。

その時に、三男になる男児も、産まれてすぐに死去した。

お民を亡くした吉徳公の悲しみは、むろん表情にも言葉にもあらわすことはなかったが、身内であるお貞がそばにいれば、折々に感じられた。

殿が寵愛《ちょうあい》したお民の身代わりとして、姉であるお貞を側室にしたのかもしれない。

しかしそれは、黄泉《よみ》の国へ旅立ったお民が、心鏡院《しんきょういん》となって、殿との縁を結んでくれたのだと、お貞は思っている。

お貞は芝神明宮の宮司の娘であるが、仏道にも信心が深い。小型の厨子《ずし》に、寄せ木造りの小さな仏さまをおさめて、居室に置いた。その前で、日夜、殿の無事と、わが子の誕生を祈るようになった。

ふくよかでやさしいお顔の鬼子母神《きしもじん》は、安産、子育ての神である。胸に子供を抱いている。右手に持つのは、多産を象徴するざくろである。

「鬼子母神さま、そしてお民、いいえ、心鏡院さま、どうか私とおなかの子を守ってくださいませ」

お貞は、吉徳公が金沢城へお国入りした際、側室の縫《ぬい》を同行したこと、その縫がお国で懐妊したと聞いて、焼けつくような嫉妬の炎を燃やした。

顔も知らない縫という女が憎かった。

その女が、金沢城で殿のお側にいると思うと、胸がしめつけられるような憤怒が湧いてくる。

お貞は鬼子母神に手を合わせて、縫よりも、一日でも早く産みたいと祈った。

藩主の子の相続順位は、そのまま、子を産んだ母の地位の格付けを決定する。

すでに、七代目の藩主となる長子と次男がいて、三男は死去。お貞の産んだ御男子は、相続の順序としては三番目となった。

だがお貞にとって、そんな相続の順番などどうでもよかった。これからの奥向きの待遇が違ってくるため、どうしても縫の地位よりも上位に立ちたかった。その強い思いが高じて、早産ということになったのかもしれない、とお貞は省みて恥じた。

妹のお民が、難産の末に産んだ二人目の子を抱くことなく、その子を道連れに逝った不幸を思えば、こうして母子ともに健やかで、命があるとは何と尊く、ありがたいことだろうか。

子を産み終えたことで、お貞から嫉妬の炎がかき消えたようだった。嫉妬の業苦から、ようやく逃れたのである。

お産の疲れで、気を失わんばかりの眠りに引き込まれそうになりながら、お貞は心鏡院に感謝した。

そして、ふと気づいて産婆に聞いた。

「それで、生まれた若様は五体満足で、確かにお元気なんでしょうね」

「それはもう。この産声をお聞きになってもおわかりでしょう。お丈夫で、かわいらしい若様でございます」

赤子の無事より先に、男子であるかと性別を聞いた自分がおかしかった。

すでに、吉徳公の四男を若様と呼んでいたことには気づかなかった。

お貞の産んだ吉徳公の御子は、勢之佐《せいのすけ》と名付けられた。
それからひと月半ほど後、十一月八日に、縫が「国ばら」の五男を産んだ。嘉三郎《かさぶろう》と名付けられ、国元で育つことになった。

千代は、自分には全く縁のない藩主の側室たちが、それぞれ御子を産んだ夢を見たことに、われながら驚いていた。

この世とも、あの世ともない、ほのかな夢幻にたゆたいながら、子に恵まれなかった自らの人生に悔いを促されているような気がした。

なぜ他の女性たちのように、母になることから背を向けてまで発句の道をひたすら突き進んできたのだろうか。死んだ父母は自分の中に今も生きているが、本当に生きているのは自分ひとりだった。

愛する男は心の支えになっている。しかし哥川の言うように、一緒に生きていけない存在である。

過ぎ去った月日に、自ら選んだ道への後悔がにじんでいくようだった。

悲しいよりも情けなく、力が抜け落ちていくようで、千代の心をまたも沈ませてしまった。

年が明けて、元文六年の正月を迎えた。

まだ松の内に、珈涼から文が届いた。無事にまるまるとした女の子を産んだという。

正月が来たので、珈涼は四十六歳という高齢で出産したのだ。

母子ともに健やかという。千代はひとまず胸をなで下ろした。

新年から、吉報をもらったことが嬉《うれ》しかった。

そういえば珈涼も、坂尻屋の跡取りを産まなくちゃ、と頑張っていたが、女の子だったのでがっかりしているだろうか、と千代は思いやった。

だが、手紙には夫の五々《ごご》とふたり、赤ん坊の顔を飽きず眺めて喜んでいる様子が子細に書かれていた。

お乳があまり出なくて困り、近所で授乳中の母親にもらい乳をしているというが、その母親というのが二人の子持ちで十八歳。

わが子を抱いていった時、お孫さんですね、といわれて恥ずかしかった、などと書いてあり、千代を笑わせた。

「女の子でも男の子でも、どちらでもいいじゃない。自分で産んだ子なんだから。うらやましいったらないわ。ねえ、珈涼さん」

年末から降り続いていた雪が、ようやく止んだ。

珍しく陽がさしてきた。雪囲いで暗い家から、重い戸をやっと動かして背戸へ出た千代は、純白の雪原のまぶしさに目を細めた。それから息をのんだ。

透明な青空に、白山が神々しく輝いている。

何のために生きているのか。なぜひとりで生きてきたのか。

白山の崇高な美しさは、そんな千代の雑念を吹き払ってしまうほどの圧倒的な高潔さに輝いていた。気高さに打たれて、無心に見上げている千代は、この喜びが句を作る思いとつながっていることを感じて、心がふるえた。
今年はいい年になりそうだと、千代は霊峰に向かって手を合わせた。

福わらや塵《ちり》さえ今朝のうつくしき

子母澤類（しもざわ・るい）
加賀市生まれ、金沢市で育つ。現在、北國新聞、富山新聞でエッセー「子母澤類と巡る文学散歩道」を執筆中。著書に『金沢　橋ものがたり』（時鐘舎）、『北陸悲恋伝説の地を行く』（北國新聞社）などがある。日本文藝家協会員。

この物語は、実在した人物から着想を得た小説です。

第14回 飲食店街見守る地蔵尊

伝蔵屋敷にあった? 慕われる悪役

金沢市内には、大槻伝蔵の言い伝えがあちこちに遺《のこ》っています。「加賀騒動」の物語では希代の極悪人として登場する伝蔵ですが、多くの人々から慕われていたようです。同市片町2丁目の新天地商店街には、もともと大槻邸にあったとされるお地蔵さんが商店街のシンボルとしてまつられています。「小説千代女」を執筆する子母澤類《しもざわるい》さん、挿絵を担当する児島新太郎さんが訪ねました。

昭和の風情を残す新天地商店街には約60の飲食店が軒を連ねています。「学生のころ、昼間に通ることがありましたけれども、妖《あや》しい雰囲気がありましたよ」と、子母澤さんは街並みを眺めます。「僕も学生時代、片町で飲んだ後、奥にあったカラオケに行きましたね。深夜までやっている軽食堂もあった」と児島さん。

お地蔵さんは、商店街の真ん中、小さな店を見守るように鎮座しています。「開運地蔵尊」と記された赤いちょうちんがあります。お地蔵さんの高さは60センチほどでしょうか。穏やかな表情をしています。

案内してくれた新天地商店街振興組合の西村道治理事長によると、裏側には大同《だいどう》2年の年号が刻まれているそうです。西暦にすると807年。加賀立国の16年も前です。大槻伝蔵が生きた時代は、900年も後なんですが…。

「本当にそうなのか、分かりません」と西村理事長は念押ししますが、お地蔵さんは、もともと大槻伝蔵の屋敷でまつられていたそうです。伝蔵の屋敷の話はこのコーナーの第3回（2020年

大槻伝蔵邸にあったと伝わる新天地商店街の「開運地蔵尊」＝金沢市片町2丁目

秋号）で取り上げましたが、いしかわ四高記念公園の辺りにありました。約１２００坪（約４０００平方メートル）もの広さ。どこかにお地蔵さんがあってもおかしくはないでしょう。経緯は分かりませんが、その後、現在の片町きらら裏にあった医院に伝わったそうです。

西村理事長によると、新天地商店街が発足した１９５０（昭和25）年、医院は立ち退くことになりました。医院側が「大切にお守りをしてくださるのなら」と商店街に譲ったといいます。以来、毎年８月24日に地蔵盆を営んできました。「昭和30年代は毎日、盆と正月が一緒に来たようなにぎわいだったと聞いています」と西村理事長。近年は地蔵盆に合わせて夏祭りを開いています。

お地蔵さんを眺めていた子母澤さんは「まさか、伝蔵ゆかりとは知らなかった」と興味深げ。最近訪ねた金沢くらしの博物館の庭でも、伝蔵の屋敷にあったとされる「極楽橋」を目にしました。「悪役とされていますけど、多くの人に慕われていたんじゃないかな」と語ります。

児島さんもぽつりとつぶやきます。「きっと地下水が染み出すように、伝蔵は金沢のあちこちで語られてきたんでしょうね」。異例の出世とそこからの転落。波乱に満ちた生涯に、人々が心を寄せてきた証しかもしれません。

小説

恋なんて、するわけがない

第20話 あったかいコーンスープ

水橋 文美江

これまでのあらすじ

東京の映画専門学校に入学した春子は、さまざまな出身地や年齢の受講生計10人の班でラブストーリーの短編映画ロケをスタート。2日間でそれぞれが順に監督を務めて10シーンを担当することに。ところが1日目の午後、かつて浮遊する女性の死体を見たという最年少の光山が「恐怖映画を撮りたい」と急に言い出して…。

「僕は恐怖映画でお願いします」と唐突に願い出た光山くんを前に、春子はなんと言えばいいのやらと言葉を探していた。周りにはいつの間にか全員が集まっていた。他の受講生たち、つまりは全スタッフとキャストが皆一様に押し黙ったままで立ち尽くしている。講師の伏見先生は午前中に一度だけ、顔を出した。ちょうど松川マイちゃんが監督をしているシーンで、何の問題もなくスムーズに撮影を終えていくのを見届けると、いくつかの諸注意と雑談をし、スタジオを後にした。去り際に「午後7時の完全撤収は守れよ。時間内に撮り終えることも実習の大事な学びだ。わかってるな」と念を押すことを忘れず。さらには「頼むぞ班長」と春子に声をかけて。そう、春子は班長なのだ。

班長といえば、かつて息子の勘太の通う小学校でPTA役員のクラス班長に春子が選出されたことがある。いや選出されたというのは語弊がある。じゃんけんで負けたために引き受けざるをえなかった。班長なんて荷が重いなぁと沈んだ気持ちになったのだが、実際にやってみるとそれほど難しいことではなかった。毎学期ごとに行われる保護者会の司会進行がおもな仕事で、その都度出される議題について保護者の皆さんに「どうですか、どうですか」と問いかけ、返って来た答えに「そうですか、そうですか」と首を振り、「ではこうですね、こうですね」と意見をざっとまとめる。率先して自分の意見を述べる必要もなく、進行役に徹していればいいので気楽であった。

その頃を思い出し、ヨシと春子は顔をあげて皆に訊《き》いた。「光山くんが自分の撮影するシーンを恐怖映画として撮りたいと言い出したことについて、話し合いをしたいと思います。皆さんのご意見をお願いします。どうですか」

しかし誰も何も言わない。光山くんも直立不動で黙っている。春子の物言いが固かったのかもしれないと、声のトーンを柔らかにして、「どうですかあ、どうですかあ」と皆の顔を見渡しながら再び訊いた。

それでも誰も何も言わない。ヒロイン役の宇津井綾音さんと目が合ったが、すかさず逸《そ》らされた。演じる側とすればそうだろう。不条理劇とはいえ、ラブストーリーだと受け止めていたのに、いきなり恐怖映画にされてはたまらない。それこそ恐怖だ。相手役の山吹くんも秋川くんも俯《うつむ》いている。他の子たちも顔をあげない。桃ちゃんも俯いている。カチンコを手にした安藤くんはかろうじて春子の方に顔を向けてはいるが、口が開く様子はない。誰もが黙ったままで、春子はあれれと力が抜けた。小学校の保護者会のようにはいかないのか。お母さんたちは「どうですか」と訊けば、のんびりだらりではあっても必ず何かしら答えてくれたものだ。

「えーと、どうですかぁ」春子は繰り返した。「みんな黙ってないでェー、なんでもいいからなんか言ってェー、思ったこと言ってェー、言おうよみんなァー」

しかしやはり誰も何も言わない。むしろスタジオ内はますます静まり返ったようで、咳払いひとつ聞こえてこない。不平不満を感じているのか、怒っているのかいないのか。まったく感情が見えてこない……感情を見せるのをやめてしまったのか……ここでようやく春子はハッとした。あぁこれが今の若者なのか。講師の伏見先生が話していた。「昔は撮影の実習中に激しい言い合いになったもんだよ。俺はこう撮りたいんだと尖ったことを言い出すヤツがいて、そんな撮り方はないだろうって批判の声をあげるヤツもいて、危なっかしくて大変だった。自分の撮影スタイルを貫こうとするヤツには今にも殴らんばかりの勢いで歯向かっていくヤツもいたからな。熱い思いがあるのはいいんだけど、仲違いしてしまうと撮影は中断してしまう。仕方ないからこっちがなだめて仲裁に入る。けどそれをまた振り切るもんだから、撮影はどんどん押す。終了予定の時間が過ぎてもまだ夢中で言い合って、ひどい時には朝まで夜通しやってたもんだよ……まぁ、昭和の話だけど。今はおとなしいよなぁ。みんなイイ子ばっかりでさ、撮影中もなんだかんだ言うことあってもたいしたことじゃない。そんなに激しい口論はしない。できないのかもな。追い詰められたりした経験がないんだろう。自分の意見を否定されたくないっていうのもある。揉め事は避けたいっていうのか、なるべく争いたくないっていう。傷つきたくないいんだよ。だからいざとなっても静かなもんさ」

この場にいる全員が平成生まれで、昭和は春子だけである。あぁそうかと春子は考えを改めた。ここは光山くんを説得してやり過ごすしかないんだな、と。「5分ほど休憩にしましょう。光山くんともう一度ちゃんと話してみますね」と皆に告げ、彼だけをスタジオの外へと連れ出すことにした。誰かが何か言うかと耳をそばたてていたが、静けさは続いていた。光山くんの背中をツツと押し、スタジオの出入り口にある自動販売機の前まで行くと、春子はショルダーバッグから財布を取り出し「なに飲む?」と聞いた。

「いえ……」首を振る光山くん。

「おごるから、遠慮しないで」

「そんな……」

「私も飲みたいし」

「はぁ……」

「コーヒーでいいかな」

「いえ、すみません。僕はコーヒーは飲めないので……じゃあ、すみません、コーンスープでお願いします」

「コーンスープね」春子は小銭を投入口に入れ、それを押し、「恐怖映画にするのは今からだと厳しいと思う。みんながあんな風に黙ってしまったってことはダメなんだと思う」と切り出した。

「はぁ……」

「今回は残念だけどあきらめよう」

「ダメですか……」

「ごめんね、班長としては押し切るわけにはいかない。何にせよ予定通りに進めなきゃいけないから」

「わかりました……こちらこそすみませんでした……あきらめます……」

案外あっさりと引き下がったので拍子抜けした。これも今の子の気質なのだろうか。春子は取り出し口からコーンスープを手にし、光山くんに渡した。腰を屈め、「ありがとうございます」と受け取る光山くん。

「熱いから気をつけて」

「いただきます」プルトップを開け、ゴクゴクと飲むや、「うわあ」と光山くんは突飛な声を出した。

「えっなに、どうした」熱くてヤケドでもしたか、あるいはコーンスープのコーンが喉に詰まったか。

「美味《おい》しいです。すごく美味しいです」

「ああ、良かった」

「東京のコーンスープって感じです」

「いやあ、それは全国どこにでも売ってるやつでしょ」

「そうですか……いえ、でも沖縄にはないと思います……多分……こんなあったかいコーンスープ……」

「光山くんはそうか、沖縄から上京して来たんだったね。ひとり暮らししてるんだよね」

「はい……美味しいです……ほんとに……ありがとうございます……」

春子はふと光山くんがお昼を食べたかどうかが気になった。食べている姿をそういえば見かけなかったのだ。

「ねえ、光山くんはお昼を食べてないんじゃない？」

「あっ……はい、実はそうです……」

「お腹がすいてるんだね」

「まぁ……そうです……」

だから妙なことを言い出したのではないかと春子は続けたかった。

「でも大丈夫です」

「大丈夫じゃないでしょ」

「いえ、大丈夫です」

「いいから待ってて」声を少し強めたせいか金沢弁になった。「そこを出てすぐにコンビニがあるから、今すぐサッと行って、おにぎりでも買って来る」

「いえ、ほんと大丈夫ですから」行きかけた春子を追いかけ、光山くんは首を振って止めた。

「僕、お弁当を持って来たんです」

「どういうこと……お弁当って、まさか光山くんが自分で作ったん？」

「はい……節約しなきゃいけないので……朝早く起きて……ご飯を炊いて……持って来ました……」

「すごい、えらいねー」春子は思わず母親が子を褒めるようにして頭を撫《な》でた。実際に光山くんとは親子ほど年が離れている。それにしてもお弁当を持って来たのに食べなかったのはどうしてか。

「恐怖映画にしたいと……ずっと考えていたので……食べる余裕がなくて……」

「そうだったんだね」春子はうなずき、スタジオに戻ろうと光山くんを促した。

春子たちが戻って来ると、皆が一斉に春子たちを見た。休憩時も変わらずにその場に立ち尽くしたまま、待っていたようだ。光山くんがぺこりと頭を下げ、春子も「お待たせしました」と頭を下げた。

桃ちゃんが今度はしっかりと春子を見ている。その視線も受けつつ、春子は言った。

「えー、お騒がせしましたが、光山くんは当初の予定通りの撮影でいきます。さっきの話はなかったことにしてください」

「えっ」と誰かが小さな驚きの声をあげた。誰だろう、男の声だった。春子はしかしかまわず続けた。

「で、すみませんが、光山くんはお昼を食べ損ねたそうなので、これからお弁当を食べてもいいですか。5分休憩って言ったんですけど、あと20分ほど休憩時間を延長することにします。その間に光山くんはお弁当を食べてください。みんなも水分とったり、軽く何か口に入れてもいいですよ。キャストの役者さんたちもすみませんでした。いったん隣の控室にお戻りください。撮影の再開は20分後となります」

「はーい」カチンコ男、安藤くんが元気よく挙手をした。「ほいじゃあ俺はタバコ吸ってきまーす」

安藤くんの明るい物言いに場が救われる。ヒロイン役の宇津井綾音さんがホッと吐息をついたのを春子は見逃さなかった。これで良かったのだと確信した。

他の子たちも動き出し、光山くんはお弁当を取りに行く。桃ちゃんが春子のところへと駆け寄ってきた。

「ハルハル、どうやって光山くんを説得したの」

「説得するほどでもなかったよ。コーンスープをおごっただけ」春子は答えた。

「食べ物で釣ったんすか」会話に割り込んで来たのは長身でヒゲ面の藤くんだ。

「えっ、そんなつもりは……」

「よしよしって頭を撫でて、お母さんにでもなった感じっすか」

「見てたの藤くん……」春子は気押された。藤くんの野太い声は妙な威圧感がある。

「そりゃあさ、お母さんみたいな人から諭されてイヤって言い返せないですよねェ、光山も可哀《かわい》相《そう》に」

「言い過ぎだよ」桃ちゃんが藤くんをたしなめる。「ハルハルだって良かれと思って光山くんを説得してくれたわけだし」

「説得じゃない、コーンスープだろ」

「だからそんなつもりじゃなかったって」

「ハルハルを責めるのは筋違いだと思う」桃ちゃんが庇《かば》ってくれた。

「けど結果的にハルハルさんがあきらめさせたわけだし」

「じゃあ藤くんはどうしたかったの」

「いやあ、映画ってのは監督でしょ」藤くんは続けた。「舞台は役者のもの、映画は監督のものって、そう言うじゃないっすか。監督がやりたいようにやるべきじゃないっすか」「俺も同感だな」木梨くんも加わった。松川マイちゃんも歩み寄って来て、うなずいている。さらには田中真生ちゃんもその後ろにやって来て、同じような顔をしてうなずいている。

「ちょっと待って」春子は困惑でいっぱいになった。「みんなは恐怖映画を撮るので良かったの?」

「良かったかどうかはわかんないっすけど。まぁ撮りたいなら撮ればいいんじゃね?とは思ってました」藤くんが答えた。

「俺も別にいいんじゃない?って思ってた」木梨くんがまたもや藤くんの言葉にのっかった。

「だったらどうしてそう言わなかったのよ」さすがの春子も大人げないと思いながらも言い返してしまった。「どうですか」と春子の問いにみんなは何も言わずに黙っていたではないか。だいたい今から恐怖映画を撮るなんて、準備が間に合わないだろう。光山くんにあきらめてもらうほうが早いだろう。そうじゃないのか。これは班長としての判断だったのだ。間違っていたというのか。

「まったくだよねえ」桃ちゃんは春子の味方だ。

「ハルハルの立場がないよ」

「おい待てよ、そういう桃ちゃんはどうなんだよ」木梨くんが切り返した。

「えっ、私は……」桃ちゃんが戸惑いの表情を見せた。

「桃ちゃんだってそうだろ」

「ん……そう……私も実をいうとね……光山くんの撮りたいように撮ればいいのにって思ってた……」

「ええっ、桃ちゃんも？」

「だって私も自分の監督するシーンを撮りたいように撮らせてもらったし、実習なんだから好きにやればいいと思う」

「だったらそう言って欲しかったァー」

「ハルハル、ごめんね。でもみんなが黙ってるから、なんか自分からは意見を言い出しにくくて……」

「まぁ俺もみんなが黙ってたからなぁ」藤くんも打ち明けた。「みんなはどうなんだろって様子見してたところがある」

「それな、俺もだ」木梨くんだ。

「私もそう」松川さんだ。「誰も何も言わないから自分からは言えなかったの。ごめんなさいハルハル」

他の子たちも口々に後に続く。「そうなんだよな、みんな黙ってるからさあ、ああいう時って言いにくいっていうか」「そうそう」「だよねー」

「うんうん」

小学生かよ。春子は「ウオー」と叫びたい心境にかられた。

「なになになに、どうしたどうした」タバコを吸い終えた安藤くんが戻って来た。春子を囲むように出来た輪の中に飛び込み、「なんなのなんなの、みんなで真面目な顔してェー」と空気をかき乱す。

「安藤ォ、呼んでないし」木梨くんがぼやいた。へらへらと笑い顔をつくりながらも安藤くんは内心、ムッとしたはずだ。

「みんな、ほんとうは恐怖映画を撮りたかったって」と松川マイちゃんが説明した。いやそれは少し違った説明になっているのだが、安藤くんが「マジかー」と叫んだ。

「でかいんだよ声が、安藤はァ」木梨くんがまたぼやく。

「うっせーな」安藤くんが言い返した。

こんな風にかしこまった感じでなければ、みんな言いたいことを言い合うのか。

「じゃあ安藤くんはどうなの、ほんとはどう思ってたの」春子は訊いた。

「俺はどっちでもいー。楽しければいー。カチンコカチカチ、鳴らすだけー」

あぁそうだった、彼の頭の中は桃ちゃんとの恋の成就でいっぱいなのだった。

「安藤は撮影実習をなんだと思ってんだ」

「木梨ィ、いちいち絡むよなぁ」

「こっちはな、真剣なんだ」

「俺だって真剣だけど」

「どこがだよ、撮影実習の話だぞ?」

「あーそれか」

「そっちはふざけすぎ」

「ふざけてないけど」

「ぜったい遊びでやってるだろ」

「楽しんでやろうっていうの、どこが悪い」

「悪いとは言ってないだろ。遊びじゃないって言いたいんだ」

「やめなさい、やめなさいってば」桃ちゃんが間を取り持つ。安藤くんがカチンコをカチンと鳴らした。

「あのぅ」と遠慮がちに殿谷くんが春子を呼んだ。「見てください、光山くんがお弁当を食べています」

「ああ、うん」

スタジオの隅っこで光山くんがお弁当箱を広げ、淡々と箸を動かしている。

「見ましたか」殿谷くんが言う。

「見た、見てるよ今、食べてるね」

「や、お弁当です」

「どういうこと?」

「僕さっき覗《のぞ》いちゃったんですよ、お弁当を作って来たのかなぁって感心して」

「そうなんだよ、今朝早く起きてご飯を炊いたって言ってた」

「ハルハルさん、それを見てください。光山くんのお弁当……」

殿谷くんの神妙さに春子だけではなく、皆が気をそそられたようで、スタジオの隅っこにいる光山くんのところへ、春子が先頭になってぞろぞろと移動した。

光山くんが気づいて顔をあげる。「あぁ、ごめんね、食べているところを失礼します」と言い終わるやいなや、春子は絶句した。

お弁当箱の中はご飯だけ。今朝炊いたというご飯が入っているだけ。あとは何もない。「おかずは!」

「ありません……買うお金がなくて……」

「戦後かよ!」安藤くんが叫んだ。


もう一度、話し合いをすることにした。役者さんたちには控室で待機を続けてもらい、皆であらためてどうするかを決めようと。春子はまず謝った。結論を性急に出してしまったこと。それから光山くんの思いに皆で耳を傾けようと。確か、光山くんは昨年の秋の話をした。ひとりで静かな山道を歩いているときのこと。見上げた空に広がる美しい夕焼け空に驚かされたこと。

「はい……もっと驚いたのは夕焼けの空の下に浮遊する物体を見たことです。それは女性の死体です……僕は怖さよりも温かな感動を受けました……何故なら……知っている顔だったからです……僕の亡くなった母でした」

「えっ、お母さん？」

「すみません」

「謝ることじゃない」「そうだよ、そのまま話して」「聞こうよ静かに」「うん」

光山くんは続けた。「僕の母が亡くなったのはちょうど去年の今頃です。食道ガンでした。父はまだ健在ですが、どこにいるかわかりません。あ、ようするに父とは離別しています。僕は母に育てられました……もともと僕が映画好きになったのは、母の影響です。ひとりで留守番している僕に、母がレンタルビデオ屋さんでレンタルしてきた映画でも見てろというので、ぼんやりと見ていたのが始まりです……今から思うと子ども向けの作品ではないものもかまわずに見ていたんです。ジャンルを問わず……その中でどうしても刺激的なものを好むようになって……恐怖映画に惹《ひ》かれるようになったんです……あの……あまりこういうことを言うと、嫌われる……大概はキモいとか言われて……友だちからは距離を置かれて……学校でも仲間外れというか……恐怖映画が好きだっていうとヘンなやつとか言われるようになって……」

「言わねーよ」藤くんが野太い声を出した。「少なくとも俺はキモいなんて言わねー」

「私も言わないよ」桃ちゃんも挙手をした。「俺もー」「言わない言わない」と声があがる。「だよなー」藤くんが応じた。「おい、光山さぁ、ここにいるみんなは同じだ。映画が好きでここにこうして集まっている。どんなジャンルであろうと関係ねー。キモいなんていうヤツはここにはいねー」

「あ……ありがとうございます……」

「亡くなったお母さんの死体が浮遊するのを見たっていうのは？」

「イメージです……実際に見たわけじゃありません。もちろん、幽霊とかいうことでもありません。なんていうのか……会いたいなぁって思った気持ちが死体を見せたというか。そんな感じだと思います。そして何よりも死体を怖いものとして捉えたくないというか、あの……母が亡くなった時に棺桶の中にいる母を見て……いとしいと思ったんです……死体をですね、あぁいとしいなぁ、あぁ好きだなぁ、すてきだなぁって……すみません、大丈夫でしょうか、僕、キモくないですか」

　藤くんが言う。「ないって言ってってだろ！気にすんなって」皆もまた口々に言う。「気にすんな」

「大丈夫ー」「続けていいよ」

「はい、ありがとうございます……それで僕が思うのは……怖いんだけど、あたたかいというか、うまくいえないんですけど……恐怖映画であってもラブストーリー的な感じのするもの……そういうものを撮ってみたいなぁって……それが僕の夢というか……で、よく考えてみたら今回の実習のシナリオが意外と合ってるんじゃないかと思いついて……今日来た時からずっと考えて……自分の監督するシーンは恐怖映画にしたいと勝手なことを言い出してしまって……とまぁ、そういう次第であります……すみませんでした……」

なるほどねえと安藤くんが唸《うな》った。「じゃあ恐怖映画っての撮るかあ。よくわかんないけどなハハ」

「えっ、いいんですか？」光山くんが春子を見た。

「みんな……どうですか」

「いんじゃないの？」木梨くんが言うと、皆一様に当然という顔でうなずいた。

「じゃあ、やるってことでいいですね」と春子がまとめた。今日撮影予定のシーンは残り2シーン。藤くんが監督するシーンがあってその後に光山くんだ。

「けどその前に準備したほうがいいかも」

「だな。先に恐怖映画の下準備だ」「黒いビニール袋を用意して壁に貼るとか言ってたよな」「買って来るか」「今から間に合うか」「間に合わせるだよ」「役者さんたちにはなんて言おうか」「わかってもらえるように話す」「誰が話すの」春子がそこで名乗りでようとしたが、それより先に藤くんが言った。「俺が説得してくる。コーンスープをおごってさ」

春子は笑った。「では藤くん、お願いします。私は事務局を通じて伏見先生に伝えてもらいます。撮影時間が押してしまうかもしれないって」

「その交渉、俺も付き合いますよ」と殿谷くんが言った。「私はスケジュールを練り直すよ」と桃ちゃんが言った。「手伝います」と言ったのは松川さんたち女性陣だ。「よし、じゃあ行ってきます」と木梨くんがスタジオを飛び出していく。「黒いビニール袋な！」と叫びながら。「待てよ俺も行く！」と安藤くんが慌てて追いかけていった。あれよあれよという間に事が進んでいく。

いつも無口な宮部さんも「私も買い出しに行きます」と言い出した。「から揚げでも買ってきましょうかね」

「から揚げ？」

「光山くんのお弁当、ご飯だけじゃ力が足りないでしょうから」

「ああ、そうだね。お願いします」

「すみません……」光山くんが頭を下げた。「なんだかアレだよね」春子は言った。「恐怖映画を撮るというより、みんなを見ていると青春映画って感じがするね」

「はぁ……」

「良かったね」

「ハルハルさん、本当にいいんですか」

「何言ってるの、みんなの様子を見たでしょが。もうみんなその気で動いてるでしょが。やりたいようにやればいいんだよ」

「ではお願いします、お母さんをやってください」

「は？」

「追加でもうひとつ役を。浮遊する死体です。つまりお母さんです。僕の亡くなったお母さんの死体をやってください」

「……私が」

「ぴったりなんです」


結果から言うと、確かにぴったりであった。藤くんの監督するシーンの撮影を終えた後、光山くんの希望通りに春子は顔面を真っ白に塗りたくって、死体役を演じた。

画面の右から左をふらふら歩いたり、くねくねと身体を揺らしたり、その熱演ぶりに拍手喝采が起き、いろんな意味で春子は泣きそうになったのであった。

水橋文美江（みずはし・ふみえ）
1964（昭和39）年金沢市生まれ。91（平成3）年脚本家デビュー。テレビドラマ「夏子の酒」「ホタルノヒカリ」のほか、NHK連続テレビ小説「スカーレット」の脚本を手掛ける。北國新聞・富山新聞でエッセー「いくつになっても」を連載する。東京都在住。

音楽あれこれ ⑳

素晴らしき英米音楽

いしかわ・金沢風と緑の楽都音楽祭
シニア・アドバイザー
山田正幸

先般、英国へ行ってきました。海外旅行はコロナ禍が始まる直前の2020年2月にイタリアを訪れて以来ですから、約3年ぶりです。マリオス・パパドプーロス指揮によるオックスフォードフィルハーモニーオーケストラの定期公演を聴きました。定員約800人の会場はいっぱい。この日は序曲「後宮からの逃走」などモーツァルトの作品ばかりでした。

リハーサルも見ましたが、やり慣れている曲目ばかりとは言え、隙を見せない充実した演奏でした。練習中から細かいポイントを常に見逃さないマリオスの指導が生きていたように思います。

事前の顔合わせが大事

休憩時には、古くからの定期会員や支援者たちがジュースやワインを飲みながら、指揮者やソリスト、団員たちと和やかに談笑していました。私も勧められるまま軽く飲みながら「素晴らしいモーツァルトだ」と言ったら「そうよ、そうよ」と中心にいた年配のご婦人が喜んでいました。その時、マネジャーに、公演後指揮者たちと会食すると告げられました。

実は、来春の「いしかわ・金沢風と緑の楽都音楽祭」にオックスフォードフィルハーモニーを招《しょう》聘《へい》することを検討しているのです。今年の楽都音楽祭ではチェコからゲストを迎えましたが、5日間の金沢滞在で、6回も公演があり、事前には直に対面していなかったため、ちょっとした件でも大騒ぎになって困った事がありました。その反省も含めて、招聘するオーケストラとは早めに顔を合わせておくべきと思ったのです。

会食の会場は10人ほど入る部屋。私はマリオス氏の隣で、通訳とマネジャーがサイドに着きました。出席者を紹介されて驚きました。私のすぐ横はオックスフォード大学の学長夫妻。そして、離れた向かい側には、新型コロナワクチンで有名な製薬会社ファイザー社の社長夫妻が座っていました。先ほどのご婦人もいて、この方が後援会の会長でした。

生来の気の弱さからか、ファイザー社社長とは十分に会話することができませんでした。英会話力の弱さも原因でしょう。ただ、音楽に関する話題なら別です。マリオス氏とは、楽都音楽祭での曲目などについて、話し合うことができました。

渡英のもう一つの目的は、ロンドンミュージカルを観ることでした。「マイ・フェア・レディ」や「サウンド・オブ・ミュージック」を映画で観たことはありますが、本物を観るのは初めてでした。

ミュージカルに感激

今回観たのは「オペラ座の怪人」。作曲家ロイド・ウェッバーの最高傑作です。歌手にバレエダンサー、合唱団、皆が良く歌い踊り、そして演出も劇的でした。最後は満席の観客全員が立ち上がってワーワー、ブラボーを叫びます。

私も感激し、驚き、興奮し、立ち上がって拍手しました。ステージと観客がこれだけ一体となれるのかと感嘆し、カルチャーショックを受けました。

来春の楽都音楽祭では、ミュージカル音楽の上演も考えています。音楽祭では2017年のベートーヴェン以来、ヨーロッパ中心にテーマを選んできました。

次のテーマは？と考えたとき、これまではヨーロッパでも大陸が中心で、英国はまだやっていないことに気づきました。ドーバー海峡を渡るのも面白いかもしれません。さらに、大西洋を渡って米国も加えることを検討しています。

20世紀の両国で最も盛んなのは、自国で創られたミュージカルです。クラシック音楽の祭典ではありますが、ミュージカル音楽は現代にマッチし、音楽祭をさらに盛り上げてくれるでしょう。幸い、石川県出身者には、米国ブロードウェイで活躍している人がいます。劇団四季にも北陸出身の人がいます。こうした人たちにも、出演をお願いしたいと思っています。α

心に残るスケッチの旅 ㊵

法邑利博（洋画家）

ほうむら・としひろ　1948（昭和23）年金沢市生まれ。金沢市立工業高卒業。73年に現代美術展新入選、74年二紀展初入選。79年現代美術展最高賞。83年加賀友禅作家として独立。2002（平成14）年二紀会会員推挙、03年二紀展会員賞、13年同展田村賞、23年同展黒田賞。現在は一般社団法人二紀会委員・北陸支部長、一般財団法人石川県美術文化協会理事。金沢市在住。

細部にこだわり、何でもアリで

地蔵祭りと信号待ち

2023年で画業50年となった。洋画家と加賀友禅作家を名乗り、僕は長年歩いてきた。大和《やまと》絵、琳派《りんぱ》といった日本美術を糧《かて》にして、作風もいろいろ変化してきたと思う。振り返ってみると、創作の原点と言える風景が、二つあった。

一つは、地蔵祭りである。

子どもの頃、僕は金沢市を流れる犀川の上菊橋近く、「川上」と呼ばれた現在の城南2丁目に住んでいた。夜はまだ暗く、大きな木の下を通ると、天狗が降りてくるんじゃないかとビクビクしていた。

小学1年か2年の夏の終わりだったか。祖母に

1979年の第35回現代美術展で最高賞を得た「過ぎし来る日」の下図

手を引かれて夜道を歩いた。ボーッとした窓明かりに狐でも出てくるのでは、と思いながら四つ角を曲がると、突然、光が視界に飛んできた。黄金のまばゆい光。近づくと、ろうそくだった。ゆらゆらと揺れる炎が黄金に見えたのである。年に一度、営まれるお地蔵さんのお祭りは、古いほこらの中が広々とした部屋のように見えた。大福や最中《もなか》、ナシ、ブドウが所狭しとお供えされていた。怖さが吹き飛んだ。闇から光へ躍り出て、黄金の別世界の美しさを心に刻んだ。

もう一つは、犀川大橋の上で信号待ちをしていた車中だった。

40歳の夏の終わり。二紀展に出品するようになって、すでに十数年が過ぎていた。太陽が沈みかけ、交差点のネオンがともるのを見ていて、はっと気付いたことがあった。今、見えているすべては地中から出てきたものではないかと。

セメント、プラスチック、車、樹木。文明を支える電気、ガソリンもそうだろう。これらは、本来なら地中に眠っているものだ。それがポコッと地表に出てきた。元を正せば、宇宙から降ってきた物質が地球を作った。われわれは天からの恵みを受けている。この気づきは、僕が描いていたテーマを変えるきっかけとなった。

湯涌、中央公園でスケッチ

まずは絵の具を変えようと思った。当時、アクリル絵の具は油絵の具に比べて「下」に見られていたが、油絵の具はどうやら僕の作風に合わなくなっていた。

僕の「スケッチの旅」を振り返ると、中学生の頃は近所を回ってスケッチし、高校になると自転車の荷台にスケッチ帳と鉛筆を縛り付けて、金沢の山あい、湯涌街道へ遠出した。

左手で描いた20年ほど前のスケッチ。意図しない線が出るのが魅力という

油絵の具を使い始めたのは社会人になってからである。油絵の具の2作目は湯涌の玉泉湖《ぎょくせんこ》が題材だった。朽ちたボート小屋は時代がかったピンクの塗装が魅力的に見えた。何枚か描いたが、あの色は出せなかった。初めて大作と言える60号を油絵で描いたのは、石川県中央公園（現在のいしかわ四高記念公園）だった。園内の複数の風景を組み合わせて2頭の白馬を走らせてみると幻想的になった。

油絵を始めても鉛筆でのスケッチは続けた。旧金沢市役所、長町の教会、古びた塀や壁に浮き出ている染みなど、時には水彩絵の具も使った。

緻密《ちみつ》な設計図

構成の面で影響を受けたのは若い頃に勤務していた機械製造会社の技術部かもしれない。先輩方が仕上げた大画面の緻密《ちみつ》な設計図である。正面、平面、側面を一枚にまとめて立体を表す。

2023年の第76回二紀展に出品し黒田賞を受けた200号「朝未き－宝舟」

ピカソが立体を描くキュビスムとも共通する部分が面白い。奥に隠れて見えない部品を点線で表すこともできる。透視能力を持つ超能力者なら、こんなふうに見えるのか。

設計図からヒントを得た作品を描き、二紀会北陸支部展に初めて出品した時、会の本部から来た先生に「アメリカのスーパーリアリズムのまねをして…」と叱られた。それでも当時の二紀会北陸支部長、吉田冨士夫先生には僕の作品を肯定していただいた。落選覚悟の初出品だったが、2点入選で受賞もできた。僕の信念を貫こう。その時強く思った。吉田先生には初入選後、3年ほどアドバイスをいただいたが、その後は「それで良い」。自由に描かせていただいた。

もう一人、助言をいただいた方がいる。加賀友禅の師匠である中町博志先生だ。28歳の時に、機械製造会社を辞めて弟子入りした。間近で拝見した美しいデザインに息をのんだ。6年間の修業中、先生の口癖「くんずねんず（苦労して何かを成し遂げること)」しながら、多くを学んだ。

友禅と絵画はまさしく水と油の関係だが、僕は幸いどちらとも相性が良かった。友禅では糸目《いとめ》の白に心を奪われた。白線が隣り合う色面に魔法をかける。絵画の方でも、白との相性を考えるようになったのは良い相乗効果だったと思う。

今は亡き嶋崎丞《すすむ》・前石川県立美術館長から「絵もいいが、もっと着物に力を入れてもいいんだぞ」と真顔で言われたこともある。ドキッとして返答に困ったが、何よりの励ましの言葉ではないかと受け止めた。60歳まで友禅を続けた。

世界はどう見えているか

顧みると、僕の関心は「何を描くか」ではなく、「どう表現するか」にあった。世界はどう見えているか。事実ではなく、僕にとっての真実を描きたい。

そのための資料が必要なので、樹木や花、岩をスケッチする。時に虫眼鏡で道端をのぞき、蟻になって大冒険する。モチーフは身近にあり、足りない分は想像する。だから、絶景を求めての旅はしていない。美は細部に宿る。だから、「見る」のではなく、「観《み》る」ことを心掛けている。

１９６０年代、ビートルズ旋風が巻き起こった時、高校生だった僕はよく聴いた。より好きだったのはアメリカのフォークソングだった。ＰＰＭ（ピーター、ポール&マリー）が特にお気に入りで、「ロック天国」を発表した時にはとても驚いた。発端となったのはフォークの頂点にいたボブ・ディランだった。彼はエレクトリックギターを抱えて歌った。ビートルズもクラシックに接近した。その後、フォーク、ロック、ポップスだといった垣根がなくなっていく。「何でもアリだな」と僕はその時、強く思った。

心を打つものに、垣根なんてない。細部にはこだわるけれども、何でも貪欲《どんよく》に取り込んでいく。創作とはそれこそ「何でもアリ」だと思って、これからも表現を続けていきたい。α

北陸の同人誌から

文芸時評

金沢学院大学副学長
水洞 幸夫

8月の末、『櫻坂《さくらざか》』同人の剣町柳一郎氏が亡くなられた。金沢市民文学賞を受賞した「かざりや清次」をはじめ、数々の味わい深い歴史・時代小説を書かれた剣町氏だが、最後に出されたのは児童書だった。本名の平仮名表記「はやせとおる」著として発刊された『小さな旅人 魔法使いルイの冒険』は、タイトル通り、魔法使いの子どもが冒険の旅を通してたくましく成長する物語である。

物語を紡ぐ原点

一角獣と鳥のヤマガラを旅のお供にして、大コウモリをやっつけたり、砂漠の流砂にはまった男を助けたりと、典型的な冒険譚《たん》、成長譚だが、要所要所で、時間、記憶、言葉の関係についての考察が顔をのぞかせている。

「記憶がボクを育て、支えてくれているのかもしれない。時間の流れをとめ、過去の欠《か》けらからボクは明日を見つめようとしているのだ。記憶は言葉を使って書き出すこと、出来事を心にとどめてくれているのだ。」

剣町氏は最後に、小学校低学年時代の自らの幸福な記憶を記している。父親に連れられて金沢の本屋で買ってもらった児童書で物語の世界を旅した記憶である。その感動、そこから学んだことの記憶の中から誰かに語りたい言葉が生まれる、と氏は述べている。

今回は、『素粒』20、『繫』5、『風紋』18、『北陸文学』87の4誌を読んだ。

『素粒』の若栗清子「あの家の前を」は、不登校になった女子高校生が主人公である。彼女は近所のひとり暮らしの老女の家に心惹《ひ》かれる。不登校になってからは、その家の前を歩くことができなくなるのだが、大雪の夜、老人の家を守ろうと、たったひとりで雪かきを始める。主人公の心理が克明に描かれており、雪かきの描写も動きがある。

舘利恵「エアコンちゃん」は戯曲。もったいないと、娘の言うことも聞かず、エアコンを買い替えずにいた老女が、孫が熱中症で倒れた途端、3台も買ってしまうという話である。老人にありがちな行為を拡大して微笑《ほほえ》ましい喜劇に仕立てた。白川荘子「ゆらゆら」は、主人公の家庭生活に、息子が書いた『蜻蛉《かげろう》日記』のさばけた文体の超意訳をダブらせ、さらにそれを読んだ同人誌仲間のアドバイスも差し挟む、という凝った構成になっている。快活でリズミカルな語り口でその複雑さを感じさせない。

攻めている作品

『繫』の飯田労「ブロンズ像」も工夫された構成の作品である。語り手は主人公の姉で、自殺をはかった弟について語る。当事者ではなく身近な人物が語る、という形は、ホームズにおけるワトソンの例を出すまでもなく、スムーズに話を展開できるのだが、この作品は最後の最後にあっと言わせる仕掛けが用意されている。

内角秀人「彼女に告《こく》る」も、全編台詞《せりふ》のみという意欲作である。高校の野球部でバッテリーを組んでいる二人の恋と性をめぐる物語は、短い会話でテンポよく展開する。地の文をカットして語りの声を排除し、説明臭さを目いっぱい取り除いている。むらいはくどう「二人の女」は、タイトル通り主人公のセックスフレンドである二人の女性との関係を語ったものである。話自体の着地点は特に設けられていない。相手が高校生の時に関係した女性との20年以上の腐れ縁や性機能不全で悩んだことなどを淡々と語る、官能的な描写を排して即物的で乾いた語り口で性の繫がりを語るところがかえって印象に残る。藤野繁「二人の話」は、広告の仕事で主人公と関わった二人の男の話である。ひとりはやり手すぎて墓穴を掘り、ひとりはいい人過ぎて零落する。スケッチ風にそれぞれの性格と運命のポイントを簡潔にとらえて、人物像を浮かび上がらせている。

寺本親平「ぐにゃぐにょ」は、能登半島のどこかの河岸段丘にある村が舞台で、神話的な物語なのかと思えば、スーパーカミオカンデの話が出てきたり、アカマンボウ料理の宴会が祝祭的に盛り上がったりする。そのなかで主人公「私」の主体もぐにゃぐにょと曖《あい》昧《まい》になっていく。融通無碍《ゆうずうむげ》の語りで様々な境界が溶けていくような不思議な感覚に惹かれる。深井了「恋の道」も、ストーリーらしいものはない。読者を夢の中に迷い込ませるような作品である。

池田良治「井戸の底へ」の主人公は、失踪した恋人を探してタイのバンコクにやってくる。インチキ占い師の言葉に従ってホスピスに向かい、そこで悟りを開いたという男と出会うのだが…。男が井戸に身を投げたところで前編は終わる。恋人はどこに？　井戸は精神分析でいうところの個人の無意識の中に潜むエネルギー源の〈イド〉を掛けているのか、物語の着地点が楽しみである。

二人称の効果

『風紋』の篠原ちか子「いつも新しい花」は、心にしみる好短編である。主人公が、大学時代テニスサークルの仲間だった「あなた」の突然の訃報を受け取ったところから話は始まる。友情以上恋愛未満の好意を抱いていた「あなた」に学生時代、一度だけ誘われたことや、新婚家庭に訪ねて来てくれたときのことを回想しながら、主人公は「あなた」を偲《しの》ぶ。「あなた」という二人称を選んだことで、心の奥にそっとしまってある大切な存在であることが、余計な説明なしに如実に伝わって来る。抑えていた感情が堰《せき》を切ったように溢れるラストも泣ける。

谷村紀子「隣りの人」は、隣同士でともに一人暮らしの人物が、お互いに相手のことを想像し合う物語。交互に視点を切り替えているので、孤独な二人がお互いに相手の暮らしに関心を持っていることが読者にだけわかる。「隣は何をする人ぞ」。干渉は避けつつもつながりたいという心情が温かく描かれている。篠原ちか子「探す」は掌編。認知症で徘徊癖《はいかいへき》がある母親を探す娘の話。良く出来ているオチは、身につまされる。

寄り添い思いやる主人公

『北陸文学』の高山敏「撤回」は、古本屋の主人を温かく見守る主人公の優しさが心に残る。妻に死なれ、愛犬に死なれ、跡継ぎにと信頼していた従業員には裏切られ、その裁判にも負けてしまうという、踏んだり蹴ったりの不幸が続く古本屋の主人。不幸のどん底でも彼は、主人公が雨に濡れないか心配する。雨のときには傘を差し出す。描かれたちょっとした優しさに癒やされる。中野徹「風の慟哭《どうこく》」も不幸が重なる物語だ。主人公は定年後、ホテルの客室掃除のアルバイトをしている。息子を交通事故で亡くし、息子のように夫婦で可愛がっていた若者も自殺する。主人公が自らの悲しみを語るのではなく、ふさぎ込んで無口になった妻の慟哭を想う、という設定でより強く哀切感が漂う。

大事な心情は直接語るのではなく忖度《そんたく》する形の方が説明臭さが避けられるので書きやすい。大巻裕子「桜の樹の下」も、主人公が死に支度を始めている母の心情を忖度する形で書かれている。女癖が悪く母に苦労ばかりかけながらも、今際《いまわ》の際には母の名を繰り返し呼んだ父。その父を母はどう受け止めたのか。母は自分の人生をどう振り返っているのか。主人公が思いやる形にすることによって深みが出ている。

田中義啓「なつかしい流れ」は、昭和30年前後の犀川河畔《かはん》、御影大橋付近の子ども時代の思い出が生き生きと語られており、歴史の証言としても価値がある。中野貞司「加賀・五百羅漢《ごひゃくらかん》」は、大聖寺で暮らしたときの何気ない思い出話だと思っていると、学生時代の登山での滑落事故の悲劇とその秘密へと、展開するところが面白い。福久達也「出口は一つ」は、戦争中、特殊潜航艇「蛟龍《こうりゅう》」艦長として戦い、生き残った父を息子が語る。戦後、観光にやってきたアメリカ人の「いつか、もう一度一戦交えればね？」という無邪気な一言を聞いて、息子はこれまでに見たこともない父親の怖い顔を目にする。父親は何も語らないがその怖い顔は、直接言葉にする以上に多くの事を読者に伝える。

「物語には『さようなら』はありません。」

文学離れが言われる昨今だが、今回も力作の数々に出会うことが出来た。剣町氏のこの言葉が力強く胸に響く。

α

法律を叱る!

第98回 マネジメント契約の適正化

弁護士・金沢弁護士会 岩淵正明

旧ジャニーズ事務所創業者による所属タレントへの性加害が報道されているが、この問題は一芸能事務所の問題ではない。

今年7月に日本労働弁護団が実施した芸能界ハラスメント相談では、パワハラやセクハラの相談も多数寄せられ、その中には、性加害に関する相談もあった。

性加害の他には、次のような問題がある。「辞めたら、違約金だ」と返され、芸能事務所側が辞めさせない契約解除の問題が深刻である。辞めることが出来ても「日本の芸能界で仕事しない」との誓約書にサインを求めてくる場合や、2022年末に無効とする判決が出たが、退所後の半年間の活動禁止期間を定めることもある。辞めた後の芸名使用を事務所に制限されるケースもある。

海外からは、日本のマネジメント契約は、芸能人にとって厳しい内容と言われている。

このような問題をなくすためには、一方的な強者・弱者という構造の改善が不可欠である。そのためにはまず、芸能界特有の問題に合わせた新しい法律が必要であり、その上で芸能事務所とタレントとの間の契約を公正に定める必要がある。

この点、韓国では2011年に「芸術家福祉法」が制定された。この法律では、芸能人が正当に尊重され、自由に芸術活動に従事できる権利を有すること及び不公正な契約を強要されないことが定められている。さらに優越的な地位を利用して芸能人に不公正な契約条件を強要したりする行為等を禁止し、不公正な行為を行った時は文化長官が是正を命じることができるとされ、公正な契約を締結させるため、国が標準契約書を作成することが責務とされている。その結果、芸能人を含む10分野66種の標準契約書が作成されている。

日本でも同様の法律や契約書が必要である。まず韓国のように芸能人の法的権利を明確に定める必要がある。その中では、性加害などの人権侵害行為を禁止することは必須である。

次いで、原則として一方が解除の意思を通知すれば辞められるようにすべきである。とりわけ、性被害を受けたタレントからの契約解除や損害賠償に関する規定を盛り込む必要がある。韓国では、7年を経過すればいつでも契約が解除でき、実際に被害があった場合には債務不履行解除を可能とし、さらに損害賠償請求をも可能とした条項を盛り込んだ標準契約書が作成されている。また、契約終了後、商標権・デザイン権は芸能人に移転し、芸名を含む会社のパブリシティー権も消滅するとされていることも参考となる。

さらに相談窓口、申告窓口もつくる必要がある。この場合、児童の性被害に親が加担したときの通報システムも必要である。幼少期の被害は、その時点では何が起こったか分からないため、受け止められるような年齢になったときに権利を行使できるように性加害の時効を撤廃しなければならない。

国際的には2011年、国連により「ビジネスと人権に関する指導原則」が定められ、企業が人権を尊重することが強く求められている。日本においても、この指導原則を踏まえ、企業が人権尊重に向けて対応する必要がある。

重要なのは、この原則では、他企業における人権侵害であっても、人権侵害状況をなくすことに影響力を発揮する責任がある者が、その影響力を適切に行使することが求められていることである。今回の場合は、放送局、出版社、広告業界のキー企業も、性被害の防止を自らの義務とし、業界全体で性被害を見逃さないようにする取引条項を整備する必要がある。

多くの国民の関心を引く芸能界で、性加害やハラスメントの撲滅に動き出すことになれば、社会全体にとっても性加害やハラスメントの撲滅への大きな前進となる。α

マスコミ時評

◆北國新聞社◆
論説委員会から

春風のごとく人に優しく接するという意味の「春風接人《しゅんぷうせつじん》」。岸田文雄首相の座右の銘だという。江戸時代の儒学者、佐藤一斎の言葉で、次に、秋の霜のような厳しさで自らを律する「秋霜自粛《しゅうそうじしゅく》」という言葉が続く。「人に優しく、自己に厳しく」の生き方を示すものだが、いまの岸田首相の心中には春風のように優しいと思える施策を提げても、秋霜のような冷たい反応しか返らない寒々とした風景が広がっているのではないか。

●「迷走」「大盤振る舞い」

秋以降、報道各社の世論調査で内閣支持率が過去最低となる結果が相次いだ。インターネットを発端に「増税メガネ」とやゆされたことも影響しているようだが、心の中で「気にしすぎる力」が働いたのか、物価高対策の一手として唐突に打ち出したのが所得税減税だった。この減税を柱とした17兆円規模の経済対策に身内の自民党内からも疑問の声が上がる中、新聞各紙の論調は押しなべて手厳しく、「迷走」「大盤振る舞い」といった言葉が並んだ。

減税は法改正後の2024年6月実施とみられるが、読売は、その1回でデフレが反転できるかどうか心もとなく「根拠の不明確な減税より、物価上昇を上回る賃上げの継続」が重要とする。朝日も、所得減税は深刻な不況期にとられるような手法であり、首相がこだわったのは「防衛増税先行のイメージを気にして、人気取りに走ったからだろう」と断じた。

さらに日経は、国の歳入が歳出を大幅に下回る状況で「税収が増えたからと早々に負担軽減に回すのは不適切」であり「6月の実施では春の賃上げに間に合わない」。既存の制度や規制の見直しが必要とする産経は「人口減少や労働生産性の低さなど構造的な課題に切り込むことを主眼におくべき」なのに旧態依然としたバラマキの発想が際立つとした。

北國は、減税は良いとしても、なぜ所得税と住民税が対象か、減税の規模は十分かといった点が不明確で「物価上昇が家計に及ぼす影響を和らげるためなら、消費税率を引き下げるのが筋ではないか」と方向性に疑問を呈した。

経済対策の閣議決定後、共同通信社が11月上旬に実施した直近の世論調査によると、政府の所得税減税や低所得者世帯への給付金について「評価しない」が62・5％に上り、内閣支持率は前回調査から4・0ポイント下落し、28・3％と過去最低を更新した。

支持率は「解散の最大のハードル」（政治ジャーナリスト・田崎史郎氏）である。経済対策を提示してもなお下げ止まらない支持率を見て、岸田首相も、年内の衆院解散・総選挙を見送る意向を固めたようだ。

●長期政権の条件とは

政策研究大学院大の竹中治堅教授（比較政治）は、長期政権を築いた小泉純一郎、安倍晋三両首相と、岸田首相の政権運営を比較している（「中央公論」11月号）。

小泉、安倍両氏が、実力本位の人事を優先し、分かりやすい政策を提示して、時に党の支持基盤と対決する姿勢も見せながら全般に高い支持を集めたのに対し、岸田氏はいわゆる入閣待機組に配慮した人事が目立ち、看板政策「新しい資本主義」の内容が分かりにくく、必要なら支持基盤との対決もいとわず経済・社会を改革する姿勢が見えない、という。

岸田政権は10月末に折り返し点を過ぎた。長期政権を作るには、具体的で分かりやすい政策の発信と、さまざまな抵抗と「闘う力」が不可欠なのだろう。

首相が出会った人たちの声を書き留めている「岸田ノート」の中には、「闘う姿勢を見せ続ける」と自身を鼓舞する言葉も書き込んであるという。所得税減税で、珍しく（？）意志を曲げぬ岸田流の闘う姿勢を見せたが、逆風を順風に変えるまでには至っていない。春風を吹かせるために、いまノートにはどんな言葉を記しているのだろうか。（論説委員・野口強）

小説

水仙は俯く《うつむく》

八木しづ

斎場の中庭には池があった。

中村瑞貴《なかむらみずき》は焼香を済ませて外に出た。池の周りを歩きながら、切っておいたスマートフォンの電源を入れる。夫の弟の妻からLINEが来ていた。

〈七回忌の香典、結局どうする?〉

来週、婚家で義父の法事があるのだ。最近の義妹はこの件で頭がいっぱいらしく、瑞貴に相談を持ちかけてくるのは三度目だった。

〈前も言ったけど、三回忌の時と同じじゃ駄目?〉

そう返信した途端、待ち構えていたように既読が付く。直後、義妹から通話がかかってきた。

「三回忌、あたし下の子の臨月だったから欠席したじゃない?」

挨拶《あいさつ》もそこそこに切り出され、瑞貴は「うん」と相槌《あいづち》を打ちながら池を覗《のぞ》き込む。綺麗《きれい》な鯉《こい》でもいないだろうか。

「一応旦那に二人分の香典を持たせたら、お義《か》母《あ》さんってば全額持ってったの。今回も二人分払わなきゃいけないのかな? 上の子が中学受験したいって言ってるのに。家のローンだってあるし」

「ほんとに憂鬱《ゆううつ》よね」

深緑色の池は眠ったように静止し、生き物の気配は感じられない。代わりに、水面の縁のあたりに黄色っぽい物が連なって浮かんでいる。

水仙だった。池の岸に群生する水仙が水鏡に映り込んでいる。黄色やクリーム色、白。どの花も水面を覗き込むように下向きに付いている。

「水仙って俯《うつむ》いて咲くでしょ?」。そう言っていたのは三井将功《みついまさのり》だった。かつての彼は気鋭のデザイナーで、瑞貴が有名広告代理店に勤めていた頃に付き合いがあった。

その将功が他界した。葬儀の参列者は「早すぎる」と口々に言うが、長く生きたほうだと瑞貴は思う。将功は先天的な疾患が複数あるとかで、ずいぶんと入退院を繰り返していたらしい。確かに彼は存在感が希薄で、体格こそ平均的だったが紙人形のようにすら見えた。立体感や重量感といったものを著しく欠いた姿にはどこか現世から浮き上がっている印象があった。


だからかどうか、将功は幼い頃から芸術に没入することを好んでいたようだった。絵画に工芸、音楽、写真など、アートと名の付きそうなことには一通り詳しかった。そういう男はなぜか女を惹《ひ》き付ける。瑞貴も彼に吸い寄せられた女の一人だったし、自分には彼に釣り合うだけの価値があるという自負もあった。あの頃の瑞貴は入念に磨かれて最上のカットを施された宝石のように輝いていた。

今はどうだろうと思いながら池に顔を映してみる。老け込んだ頬《ほお》に生活という名の疲れを染みつかせた女がそこにいる。仕方ない、と冷めた心地で思う。誰だって歳は取るし、生活に疲れない人も滅多《めった》にいない。みんな同じだ。内心でそう繰り返していると、なぜか脳裏に宮沢華江《みやざわはなえ》の顔が浮かんだ。

華江は瑞貴の広告代理店時代の同期で、将功とも親しかった。今日の告別式でも見かけたが、声を掛ける気にはならなかった。華江の焼香は長かった。彼女はずっと将功の遺影を見つめていた。

両者の間で、親しげで密《ひそ》やかなやり取りが交わされていたように瑞貴には思えた。

将功の女性関係は派手だったが、アートについて彼と同じ目線で語り合えたのは華江だけだった。華江は知識面で将功に引けを取らず、写真を嗜《たしな》んでいたので芸術的センスのようなものも持ち合わせていた。しかし瑞貴だってただの取り巻きとは一線を画していた。有名大学のミスコンファイナリストの肩書を引っ提げて入社したのだから。才色兼備と周りからもてはやされるまでもなく自分が特別であることを承知していたのが瑞貴だった。

もし――と池を覗きながら想像する。

自分と華江、今の将功ならどちらを選んだだろう。

そんなことを考えているうちに義妹からの通話は切れていた。何を話したか思い出すこともないままスマートフォンを仕舞い込んだ時、水面に別の顔が現れた。華江だった。瑞貴が振り返ると、華江はにっこり笑って会釈した。

「久し振り、宮沢です。覚えてる？」

「もちろん。けどびっくりした、相変わらず綺麗ね」

「びっくりしたのはこっちよ。瑞貴、ますます綺麗になった」

華江は池に目を落とし、二つの顔が並んでいるのを見ながら続けた。

「何年ぶりだっけ。元気だった？」

「それなりに。そっちは？」

「割とバタバタ。仕事でフリーになったから」

「もしかしてフォトグラファー？」

「ただの写真家よ」

華江が苦笑した時、ちらほらと雪が降ってきた。音もなく池に着水し、綿飴《わたあめ》が溶けるようにして消える。

「凄《すご》いね。独立なんて」

瑞貴はようやくそれだけを言い、「おめでとう」と付け加えた。なんとなく、華江の周りには香典の額で気を揉《も》む人間はいないだろうと思ったのだ。

しかし華江はまた苦笑いでかぶりを振った。

「どうにか食べていける程度。でも、三井くんのおかげで少し展望が開けた」

「連絡取り合ってたの？」

「たまにね。遺影、私が撮ったの」

「遺影？」

「ええ、三井くんの。先月、本人から頼まれて」

と言い、華江は「ちょっと失礼」と瑞貴の傍《そば》を離れた。水仙に気付いたらしく、小さなデジタルカメラを取り出してレンズを向けている。その横顔を眺めながら、なぜか瑞貴は後頭部を殴られた気がしていた。

告別式で遺影を見た時、いい写真だと瑞貴でも感じた。普段着の将功を左斜めから写した一葉で、寛《くつろ》いだ目つきと無防備に開かれた口が印象的だった。だからこそ、どんなシチュエーションで撮ったのだろうと首を傾げてしまった。気の置けない相手との一コマのようだったから。瑞貴の見たことのない将功だったから。

「三井くんが、生きているうちに遺影を撮って欲しいって連絡してきてね」

華江は水仙を撮りながら池の周りを回っている。静かな足取りなのに、彼女の肩や背中は精彩と躍動感で満ちている。

「縁起でもないと思ったけど、いずれ死ぬからこそベストな遺影が欲しいって言われて考え込んじゃった。確かに遺影って、死後に慌てて用意しがちだものね。で、『悔いのない、あなたらしい遺影を』ってPRしてみたら結構依頼が来て」

マイナーな外国語でも聞かされている気がして瑞貴は「そうなの」としか応じられなかった。この感じには覚えがある。三人でいたあの頃、華江と将功は瑞貴の知らない話題で交信していた。

「見て、これ」

華江が戻ってきてデジタルカメラの画像を見せた。池の面に、カメラを構えた華江と水仙が映っている。

「三井くん、水仙が好きだったよね」

華江は何かを懐かしむように目を細める。瑞貴の知らない将功のことを思い出しているのだろうか。瑞貴は池に映る自分を見つめながら将功の顔を思い浮かべた。瑞貴だって華江の知らない将功を知っている。

　将功は有名な美大の出身だ。在学中に絵画の展覧会で入選を果たし、卒業後はデザイン事務所で頭角を現した。その事務所は瑞貴の会社の仕事相手だったから瑞貴も将功のことは耳にしていた。将功のほうも瑞貴の経歴を知っていたようで、初顔合わせの時からちらちらと視線をよこした。

　男からの眼差《まなざ》しに慣れている瑞貴は涼しい顔を貫いたが、そうするには意識的な努力が要った。彼の一重の目で見つめられる度、自分を砂の城のように感じる。浜辺で、白くしぶく波におびやかされる城。城は崩されるまでその場から動くことができない。あるいは崩されるのを待っているのかもしれなかった。一息で突き壊され、形を失くし、どこまでもさらわれていくのを。

　瑞貴もいつしか将功を見つめるようになり、ほどなくしておやっと思った。将功は俯いていることが多い。初めて気付いたのはたまたま外で彼を見かけた時。その日は雨上がりで、将功はずっと俯いたまま歩いていた。水溜《みずた》まりに気を付けているのだろうと瑞貴は思ったが、よくよく見ればミーティング中も、ミーティング後に社屋を辞すまでの間も足元を見てばかりいる。

「三井さん、いつも俯いてますね」

だから何の気なしにそう言ってみたのだ。ところが将功は謎でもかけるような微笑で応じた。

「水仙って俯いて咲くでしょ？」

「『水仙の君』？」

「ご存じなんですか？」

　将功が驚いたような目を向け、瑞貴は自分の機知に満足した。『水仙の君』は将功が展覧会で入選した時の作品だ。

「花がお好きなんですか？」

「入院中に散々慰められたので。病人ってね、花くらいしか見るものがないんです」

「あ、すみません」

　瑞貴は慌てて詫《わ》びた。将功が新生児の頃から病院暮らしだったことは噂《うわさ》で聞いている。しかし当の将功は気にした風もなく笑った。

「入院生活が長かったから花を掘り下げられたし、絵にも目覚めました。花は色々な逸話があるから描いていて面白い」

「調べてみます」

数日後のランチで、瑞貴はこのエピソードを意気揚々と華江に披露した。華江は山椒《さんしょう》のジェノベーゼをフォークに巻き付けながら傾聴し、

「俯くって、ナルキッソスのことじゃない?」

と指摘した。ひどくあっさりと。瑞貴が未知の外国語を聞かされたように目をぱちくりさせていると、華江はナルキッソスについて説明してくれた。ギリシャ神話の登場人物であること。水仙の学名の由来にもなっていること。瑞貴はやっぱり異邦の言葉を聞かされている気分だった。

そもそも、と瑞貴は自分の半熟玉子付きカルボナーラと華江のジェノベーゼを見比べながら思う。華江は別の世界の住人なのかもしれない。例えば同じ量販店のTシャツを着ても華江と瑞貴では佇《たたず》まいが違う。瑞貴はデパートで売っているコスメを愛用しているが、華江は自分の好みに合えばノーブランドでも使う。服でも化粧品でも「それどこの?」と人に訊《き》かれるのは必ず華江で、大きな仕事を任されるのもやっぱり華江だった。

悔しくて、瑞貴は仕事に打ち込んだ。おかげで華江と同じ水準の仕事を振られるようになったが、そんなことでは満たされない。華江と自分では何が違うのだろう。自分は地方出身で、華江は都会の生まれだからか。環境を言い訳にしたくはないが、豊かな文化を当然のものとして浴びてきた華江との差は埋め難《がた》いと感じることがある。しかも華江はそこそこいい家の出で、満たされている人間特有の無自覚で傲慢《ごうまん》な余裕があった。

入社後の歓迎会でのことだ。

何の拍子だったか、先輩社員が瑞貴のミスコンのことを話題に出した。座の注目が一瞬で瑞貴へと集まり、瑞貴は求められるままに（もちろん適度に謙遜しながら）当時のことを語った。エントリーの際に写真が必要だったからフォトスタジオで撮ってもらったこと。勝ち進む度に広報用の写真撮影があり、カメラを向けられる度に勘違いし

そうになったこと。

「勘違いって？」

隣の席で聞いていた華江が興味津々で口を挟む。

瑞貴は笑顔で答えた。

「レフ板を向けられてフラッシュが光る度、自分がタレントにでもなったような気がしちゃうの。もちろんその瞬間だけなんだけど」

「そうなんだ」

「ミスコンとか、出たことないの？　宮沢さんならいけたんじゃない？」

対抗心半分で華江に水を向ける。華江は装いこそシンプルだが顔立ちは整っており、男性社員人気を瑞貴と二分していたのだ。しかし華江は「ううん」と苦笑した。

「私は貴女《あなた》みたいにはいかないよ」

「美人なのに」

「んー。興味ないかな」

さらりとした華江の口調は瑞貴の鼓膜にざらりとした感触を残した。遠回しに「私はもう色々なものを持っているから」と言われた気がしてならなかった。

瑞貴は自分の力で様々なものを手に入れてきた。早いうちから容姿を磨いたし、勉強や部活動にも手を抜かなかったからこそ今の会社に入ることができた。とにかく全部欲しくてたまらなかった。そんな風に何かを求めてばかりなのは自分が下流の出身だからだと気付いてもいたのだが。

「美味《おい》しかった」

華江がフォークを置いてナプキンで口を拭っている。瑞貴は自分のカルボナーラが三分の一ほど残っていることに気付いた。甘くて口当たりの良いそれにもはや食欲は失せかけており、今となってはなぜ注文したのか不思議でならない。

「ごめん。急ぐ」

「ゆっくり食べて。ちょっと携帯触るね」

華江は携帯電話を弄り始める。メールでも作成しているようだ。すぐに返信があったらしく、華江の口元に小さく笑みが浮かぶ。

「彼氏？」

からかうように瑞貴が訊く。「そういうのじゃ

ないよ」と華江はかぶりを振り、

「三井さん」

と付け加えた。何を言われたのか分からなくて瑞貴のフォークが止まった。

「週末、写真展に誘われてて。瑞貴も行かない？」

将功と華江が連絡先を交換していたことと、華江の趣味がカメラであることを瑞貴はその時知った。


華江と将功はカメラがきっかけで距離を縮めたそうだ。仕事で一緒になった時に華江のカメラの話になって、将功が興味を示したらしい。

写真展には将功、華江、瑞貴で赴き、この時から三人で行動することが多くなった。同い年の気安さで、口調もくだけたものに変わっていく。

将功は歳の割に世馴《よな》れていて、瑞貴と華江のどちらかを特別扱いすることはなかった。しかし美術館や展覧会で将功が語り交わすのはいつも華江で、瑞貴はずっと蚊帳《かや》の外だった。実際、瑞貴には二人の話の半分も理解できない。華江に負けたくなくて自分なりにアートを勉強してみたものの、知識を深めれば深めるほど彼女との差を思い知るばかりだった。

「華江と将功さんってお似合いだね」

やっかみ交じりにそうからかったことがある。しかし華江は平静な苦笑で否定した。

「そういうのじゃないよ」

「じゃあどういうの？」

「うーん」

華江はテイクアウトしたアイスティーのストローで氷をつついた。梅雨の直前の、暑い日だった。大通りを向いて並ぶショーウインドウが鏡のように通行人を映している。薄着の季節だからか、ショーウインドウに映る自分の体型をちらちらと気にする者が目立つ。

「刺激をくれる人かな。三井くんと話してると色々なことを思いつくの。おかげでいい写真を撮れるようになったし」

「そうなの？」

同じ店で買ったアイスコーヒーを飲みながら瑞貴は首を傾げた。そんな視点で将功を見る女がいるなど、信じられない。将功に触れたいと思わないのだろうか。将功を欲しいと思わないのだろうか。

瑞貴が華江の言動に戸惑うのはこの時ばかりではなかった。例えば、華江がカメラを始めたきっかけは瑞貴のミスコンの話だそうだ。沢山写真を撮られてタレントのような気分だったと聞いて撮る側に興味を持ったという。どうしてあの話でそちら側に興味を持つのか瑞貴には分からない。ミスコンの主役は出場者なのに。誰だって主役になりたい筈《はず》なのに。

「華江、もしかして強がってない？」

「どうして？」

「将功さんって色々噂があるじゃない。女関係とか」

「だいぶモテるんだっけ？」

「一夜限りで泣かされた人も沢山いるって。ひどいよね」

「んー、寄っていく側もどうかと思う。三井くんが自分にしか興味ないってこと、ちょっと見てれば分かる筈なのに」

「ああいう男性ならそりゃ寄っていくでしょ」

「不毛じゃない？」

アイスティーの水面を見ていた華江が瑞貴に向き直った。

「自分から近付いて、めちゃくちゃに振り回されて苦しんで。挙げ句、被害者みたいに大騒ぎ。自立した大人とは思えない。もっと主体性を持たないと」

「ええ？」

「あたしは主体性なんか失《な》くしてみたいよ」

「主体性とか自立とか、そんなものなげうってしまいたくなるのが恋でしょう。彼女たちは振り回されたいし引きずられたいのよ」

「苦しいだけじゃないのかな」

「自分じゃ行けない、自分の知らない領域に行ってみたいんだと思う」

「どうしてそう思うの？」

「あたしも女だもん」

「なにそれ」

華江はとうとう噴き出した。

「女だからっていう決めつけ、古くない？」

「っていうか」

瑞貴は焦《じ》れったくなって華江を遮った。

「華江がそういう風に言うのって、遊ばれるのが怖いからじゃないの？」

注意深く華江を見つめる。彼女のどんな些細《ささい》な揺らぎも見逃すまいと。しかし華江はいつものようにゆったりと苦笑した。

「そうかも。一回寝ただけの女になるのはちょっとね」

「あたしはそれでもいいけど」

瑞貴はつい強く反論した。華江が驚いたように目を丸くする。瑞貴は顔を背けるようにしてアイスコーヒーのストローを咥《くわ》えた。

「どうしても欲しい人となら一回だけでもいい」

つい歯を立ててしまったらしく、口の中でストローがひしゃげる。それに気付いたのかどうか、華江が殊更朗らかに「三井くんといえば」と話題を変えた。

「この前、三井くんの勧めで写真のコンクールに応募したんだ。三次選考で落ちたけど」

「へえ。写真家でも目指してるの？」

冗談めかして尋ねたつもりだった。しかし返事はない。え、と思って華江を見ると真剣な横顔がそこにあった。

「なりたいな、とは思ってるけど」

「ほんとに？」

瑞貴は大きく苦笑した。

「会社は？　まさか辞めるとか？」

「かもね。あ、涼しい」

不意に風が吹いて華江は目を細める。夏の温度になりきれていないその風で首筋を冷やされた気がして瑞貴は言い立てた。

「何のために大企業に入ったのって感じ」

「そうだけど」

「なんか心配。大丈夫？　独立して苦戦してる先輩たち、いっぱいいるらしいよ」

「そうよねえ」

華江はふわふわと笑い、「でも」と言い足した。

「三井くんも独立を考えてるんだって。歳を取ったらマネジメント側に回らなきゃいけないじゃない？　生涯いちプレイヤーでいたいって言われて、共感しちゃった」

瑞貴は「ふうん」とだけ応じた。どうにも苛立《いらだ》って仕方なかった。

「なんか、いいね。楽しそうで」

アイスコーヒーを飲み干し、カップの蓋《ふた》を外して氷を噛《か》み砕く。後頭部が冷たくなるのを感じながら空のカップをゴミ箱に放り込む。

「ごめん、ちょっと電話」

携帯電話を手に華江から離れる。電話をかけるふりをした後、用事ができたと言って去った。

もちろん用事など嘘だったのだが、数時間後に本当に予定が入ることになった。

夜が深まり始める頃、瑞貴はピンヒールを鳴らして都心のホテルのエントランスをくぐった。エレベーターで高層階に上がり、化粧室でメイクと髪型を直す。もちろん顔も髪も完璧に整えてあるが、気分を高めるための儀式のようなものだ。

バーに入る。照明が抑えられているので洞穴にでも入ったような気分だ。その暗がりに順応する前にフロアの奥に目が吸い寄せられた。カウンターの向こうが全面ガラス張りになっていて、宝石箱をひっくり返したような夜景が開けている。そのど真ん中、カウンターの中央の席に男性客が座っていた。彼はこんな時でもやっぱり俯いている。

瑞貴は隣に座り、努めてクールに言った。

「お待たせ」

「ん。悪いね、急に」

酔いの回った目を上げたのは将功だった。

梅雨が終わって夏が来た。青空から撒《ま》き散らされる陽射《ひざ》しは日に日に暴力的になっていく。

瑞貴は内腿《うちもも》の蒸れを気にしながら美術館に到着した。

「どうしたの？」

先に来ていた華江が目を丸くする。三人で美術館に行く約束をしていたこの日、瑞貴は美容院で浴衣の着付けとヘアメイクをしてもらって来た。美容院からここに着くまでの間に何度も声をかけられたし、今だって通行人からの視線を絶えず感じている。

「近くで花火大会があるみたいだから」

「へえ、いいね。帰りに寄ろうか」

将功は珍しく積極的で、瑞貴は少し期待を抱いた。

美術館で展示を見た後、三人で花火大会へ向かった。会場は大きな湖のほとりで、夜店がずらりと軒を連ねている。店先に吊《つ》るされた裸電球が濡れたような光の膜を作り、会場全体をぼんやりと蔽《おお》っていた。夜なのにその区画だけが発光しているみたいだ。見物客も熱に浮かされたように目を輝かせたり大声で笑ったりしている。

将功が一軒の夜店の前で足を止めた。飴細工の店だった。熱いうちに練られ、引き伸ばされ、曲げられて自在に形を変えられた飴たち。金魚や犬や猫を象ったそれらは、店先の電球の下でぬめるような光沢を放っている。

「これ、あれに似てない？」

と、オニヤンマの飴細工を指しながら将功が振り返った。

「なに？」

瑞貴はとびきりの笑顔で応じる。将功は「あ、うん」と生返事をして視線を左右に巡らせた。華江を探しているのだと察して瑞貴は笑みを貼り付けたまま口を噤《つぐ》む。ややあって、二軒先の綿飴の店で写真を撮っていた華江が戻ってきて将功と一緒に飴細工を眺めた。二言三言、何かを言い合っている。瑞貴の知らない何かを共有している。

蒸す日で、夜になっても暑いままだった。浴衣の下がなお暑い。だから甘ったるい物など欲しくなかったのだが、別の店で売っていたリンゴ飴がつやつやと綺麗だったのでつい一つ買い求めた。しかし真っ赤な飴はいざ手にしてみると予想以上にみっちりして重い。

リンゴ飴を舐《な》めながら夜店の列を抜け、湖岸に出た。真っ黒な湖に突き出した桟橋を歩きながら鏡代わりに水面を覗き込む。アップにした髪のほつれを直そうとした時、水鏡に華江の顔が映り込んだ。小さめの一眼レフを携えている。

「撮ってもいい？　顔は写さないから」

「いいけど、用意がいいね。花火大会のこと言ってなかったのに」

「シャッターチャンスを逃さないように持ち歩いてるの」

「ほんとに写真家みたい」

「あはは。そうなればいいんだけど」

華江は後ろや斜め後ろから瑞貴の姿を切り取り、呟《つぶや》いた。

「これだ、と思うような写真はやっぱり難しい。またコンクールに応募したいのに」

瑞貴は「そう」と生返事をして湖を見つめた。風がのろのろと水面を舐め、毛羽立《けばだ》ちのようなさざなみを生み出す。

いつしか人が集まりつつあった。

華江の姿は消えていた。またどこかで撮影をしているのだろうか。花火の打ち上げを待ちながら、瑞貴は大きなままのリンゴ飴を持て余し始めていた。ガラスのように涼やかな飴でコーティングされたそれは口を付ける度に舌の上でべたつく。爽やかな筈の果肉もすっかりぬるくなっている。

何をしに来たんだっけと湖を眺めていると水面に細い光が現れた。あ、と顔を上げた瞬間、夜空に駆け上がった光の緒が大輪となって炸裂《さくれつ》した。やや遅れて、どん、という重低音で下腹を揺さぶられる。花火は呆気《あっけ》なく散るそばから次々と上がり、真っ暗な湖に激しい光を焼き付けていった。凪《な》いだ湖面が、音ひとつ立てぬ炎で燃え上がっているように見えた。

後ろから腕を掴《つか》まれた。将功だった。彼は安堵《あんど》したように「やっと見つけた」と笑う。その表情が瑞貴の欲求にフィットしたので、試し行為じみた意地悪をしてやりたくなった。

「華江は？」

将功にそう尋ねた時、また花火が爆《は》ぜた。閃光と音響のただ中で将功が「え？」と瑞貴の口に耳を寄せる。瑞貴は「なんでもない」と彼の耳元で声を張り上げる。将功が何か言った。しかし花火の音で聞こえない。瑞貴が耳の後ろに手を当てる仕草で訊き返すと将功はリンゴ飴を指した。

瑞貴はリンゴ飴を差し出した。将功が屈んだ。端正な顔が瑞貴の間近に寄る。続けざまに花火、花火。極彩色の光が、リンゴ飴に立てられる将功の歯の白さを露《あら》わにする。

一口齧《かじ》り、辛党の将功はオーバーに顔をしかめてみせた。瑞貴はちょっと笑い、リンゴ飴を自分の口元に運んだ。剥《む》き出しの果肉に刻まれた将功の歯型に唇と舌を押し当てる。つるつるした飴の上を花火の光が滑り落ちていく。瑞貴はじっとしたままだった。もはや花火など見ていなかった。


夏の猛暑が祟《たた》ったのか、将功は秋口に寝込んだ。冬になる頃には入院し、それをきっかけに交流は絶えた。将功と華江がどうなったのかは知らない。華江は瑞貴の前で将功の話をしなくなったし、瑞貴もわざわざ訊くことまではしなかった。

年明け、華江がスナップのコンクールで優秀賞を獲得した。彼女は写真家になるために会社を辞めた。その頃には瑞貴は別の部署に異動していたので華江と距離ができていた。

「瑞貴は今何してるの?」

斎場の池を一緒に覗き込みながら華江が訊く。

「べつに普通よ。結婚して、仕事して、子育てして」

「お子さんがいるんだ。可愛《かわい》いでしょう」

「まあ、ねえ」

深緑の水面を見つめながら瑞貴は生返事をした。水鏡には水仙と共に二人の顔が横並びに映っている。


働き続けて三十歳を過ぎた頃、なんというか自分の限界が見えた。多分ここまでしか行けないな、という。テレビや雑誌の栄華が翳《かげ》りを見せ、業界全体の空気が沈滞していたせいもあるかもしれない。ともかく瑞貴はそのタイミングで商社マンと結婚した。

子供が生まれると生活も人生も一変した。瑞貴が必死になって手に入れてきた経歴や肩書は泣く子の前では全く役に立たない。育児と時短勤務で髪を振り乱しながらどうしてこんな生き方をしているのだっけと首を傾げる日々が続き、軽い自律神経失調症をきっかけに会社を辞めた。正直、ほっとした。

体調が落ち着き、子供が小学校に上がった今は派遣社員をしている。おかげで精神的な余裕はできた。しかし時たま、どうしてこんな生き方をしているのだっけとぼんやり考えることがある。派遣先の会社で機械のようにデータ入力をこなしながら、頭の中では代理店時代のアルバムをめくって溜め息をついている。

「フォトグラファーの仕事ってどんな感じ?」

「語れるようなことは何も。ＳＮＳでアピールして、一生懸命営業かけて。もちろん事務の書類も自分で書くし」

「やっぱり大変なんだね」

「うん、瑞貴に言われた通りだった。勤めてた頃は不満ばかりだったけど、会社に守られてたんだなって気付いたよ」

愚痴めいた言葉とは裏腹に華江の表情は清々しい。瑞貴の鼻先を雪の欠片《かけら》が掠めた。先程から、雪が降ったり止んだりしている。

「それに」

雪の落ちる水面を見つめながら華江が続けた。

「三井くんも苦戦してたみたい」

水仙は相変わらず池を覗き込んでいる。雪が着水する度、水鏡がほんのわずかに震える。

「三井くん、独立したいって言ってたでしょ。実際自分の事務所を持ったけど、体の事情もあって思うようにいかなかったんだって」

「初めて知った」

「連絡取ってなかったの?」

「ええ。色々あったから」

そう答えた自分の声に淡く誇らしさが交じるのを瑞貴は自覚する。華江は「そうなんだ」と柔らかく微笑《ほほえ》んだ。あの頃と同じ、泰然とした笑み。どうしてこんな表情ができるのだろうと瑞貴は内心で眉を顰《ひそ》め、ほぼ同時に感情が口をついて出た。

「気にならないの?」

「どうして？」

「華江も将功さんと仲良かったでしょ」

「だからって、人のことを根掘り葉掘りなんてしないよ」

「興味ないってこと？」

「どうしたの？」

華江は優しく眉尻を下げた。

「どうしてそんなに突っかかるの？」

「そっちこそ、どうしていつもそんなに余裕なのよ」

その瞬間、池の上をさざなみが走った。風が吹いたのだった。その冷たさに半ば歯を食いしばり、瑞貴はとうとうまくし立てた。

「あたし、将功さんと寝たのよ。ホテルのバーに呼び出されて」

あの夜、バーカウンターで待っていた将功はひどく憔悴《しょうすい》していた。何があったかは分からないが、何かで悩んでいるのは一目で分かった。

「先週、検査を受けてさ」

暫《しばら》く経って将功が口を開いた。

「結果が思わしくなくて。また詳しい検査をしましょうだって」

「大丈夫なの？」

「さあ？」

将功は頬杖《ほおづえ》をつき、グラスの縁をぐるぐると指でなぞった。

「なるようにしかならないし」

「怖くないの？」

「べつに。ただ、自分の存在を確かめたくてたまらなくなる。俺ってまだ生きてるんだよな、って」

「それであたしを？　華江のことは誘った？」

「ええ？」

将功が呆《あき》れたように苦笑した。

「気にするとこ、そこ？」

瑞貴は口を噤んだ。将功が、華江に断られて自分を呼び出したのではないかと心のどこかで疑っていたのだ。

けれど、もし華江の代打だったら自分はどうするというのだろう。毅然と席を蹴ってこの場から去るのだろうか。目の前にいるのは将功その人なのに。欲しくて欲しくてたまらなかった男なのに。どうなってもいいと瑞貴は思った。どう思われていてもいいと。

　カクテルを飲みながら、相手の太腿に先に手を伸ばしたのはどちらだったのか。五分後には二人は指を絡め合ってホテルの最上階に向かい、夜景を独占できるインペリアルスイートで抱き合った。大きな窓に両手をつき、輝く夜景を見下ろしながら。

　秘密の、まだ誰にも発見されていない宝石のような時間だった。胸の一番柔らかくて甘い場所に大切に仕舞い込みたくなるような。その思い出はもちろん今も大切に取ってある。いいや、今だからこそ輝きを増しているように感じるのだ。だって今の自分は何でも手に入れようとして何一つ手に入れていない。仕事も家事育児も中途半端。親に感謝しようとせず自己主張してばかりの子供。世界の狭い姻戚たち。それら全てが瑞貴の選択の結果なので言い訳することもできない。八方塞《ふさ》がりの毎日で窒息せずに済んだのは将功との一夜があったからだった。あの恋を記憶の宝箱から取り出して愛《め》でることでどうにか息継ぎができた。

「寝た後、どうなったの？」

　華江が冷静に問う。瑞貴は自嘲の形に唇を歪《ゆが》めた。

「何もなかった。要は遊び。馬鹿だって思う？」

「分からない。ワンナイトは経験ないから」

「ほら、華江はいつもそう。どんな時でも安定してて、揺らいだり欲しがったりしない。生まれつき色んなものを持ってるものね。でも貴女だって女なんじゃないの？　ああいう男性を欲しいと思わないの？　でないと。でないと――」

　あたしが馬鹿みたいじゃない。その叫びを辛うじて呑《の》み込む。苦い味のげっぷが出そうだ。華江と話しているとこういう感じになることが多かった、と今更のように思い出す。

「女はこう、っていう言い方は好きじゃないけど」

　華江が静かに口を開いた。

「女と男の関係には終わりがある。そんなもののために三井くんを失うのは嫌だった。三井くんは私のインスピレーション源だったから」

「なにそれ。仕事ってそんなに大事かな」

「瑞貴は私とは違うでしょう?」

華江は珍しく語気を荒らげた。

「綺麗で、行動力もあって、欲しいものをどんどん手に入れて。自分の翼で力強く羽ばたく姿に圧倒されっぱなしだった。私は生まれ落ちた巣にたまたま豊かさが用意されていただけだもの。それをひな鳥みたいに給餌してもらっていただけだもの。だから」

スマートフォンのモニターを瑞貴に突き付ける。瑞貴は目を見開いた。

一瞬、影絵か何かかと訝しんだ。しかしよく見てみると写真なのだった。夜空に焼き付いた極彩色の花火。その逆光の真ん中で、リンゴ飴を挟んで顔を寄せ合う一対の男女のシルエット。二人とも口を閉ざしているが、むせ返るような親密さが匂ってきそうだ。


「コンクールで入賞した写真。あの花火大会の時にこっそり撮ったの」

華江は泣き笑いの顔を作った。

「二人を見た瞬間、体が勝手にシャッターを切ってた。これだ、と思った。私の道はこっちなんだな、って。もちろん後悔もしてない。でも。それでもね」

雪が不規則に降り続け、水仙は俯いたまま池を見つめている。絞り出すように華江が言う。

「気になって気になって仕方ないんだ。選ばなかったほうの道が」

「そうよ」

「自分は間違ってないって信じたいんだと思う」

「そうなのよね」

瑞貴はいつの間にか華江が目と鼻の先にいることに気付いた。華江が歩み寄ってきたのか、瑞貴のほうから歩み寄ったのか。華江の手が伸びてきて、瑞貴はその手を握って引き寄せた。次に額が触れ合い、互いに少し笑って目を閉じた。二人の姿が池に映っている。同じようなブラックフォーマル。同じような姿勢。

　水仙の逸話に登場するナルキッソスは美青年で、泉に映った自分に恋をして死んだ。恋わずらいで憔悴したからとも、水鏡の自分にくちづけようとして落水したからとも言われている。彼の死んだ跡には俯いた姿の水仙が咲き、ナルキッソスはナルシシズムの語源ともなった。

　将功もいつも俯いていて、水溜まりや飲み物やオフィスのフロアに映る自分ばかり見ていた。瑞貴がそのことに気付いたのはホテルの最上階で交わったあの夜だった。将功は窓ガラスに映る彼自身に夢中だったのだから。しかし瑞貴だってガラスに映る自分にうっとりしていた。この場所でこの男とこういうことに及べる自分という女に酔いしれていた。

　恐らく、いやきっと、瑞貴が見ていたのはいつだって自分自身だった。だからこそ華江という鏡に映る自分が気になって仕方なかった。彼女を見る度ずっと、自分の在り方を否定されているように感じていたのだと思う。


「教えて」

目を閉じたまま華江が言った。

「三井くんと寝て、どうだった？」

「華江に分かるかなあ」

「瑞貴だって私と三井くんの関係を理解できないでしょ」

「性格悪い」

　毒を吐き合い、くすくす笑い合う。斎場で、霊《れい》柩車《きゅうしゃ》のクラクションが長く遠く鳴り響いた。将功の体が火葬場に出発しようとしている。女二人は斎場に背を向けたままじっとしていた。水仙たちも動かない。水面の自分を飽かずに見つめている。

八木しづ（やぎ・しづ）
1984（昭和59）年、宮城県生まれ。金沢市在住。

小説　壁の染み

立野　幸雄

町外れの変電所の裏手は見渡す限り黄金色《こがねいろ》に染まり、幾千幾万のたわわに実った稲穂が風になびいていた。山から吹き下ろす風は山裾の稲穂を波立たせ、巨大な金色のうねりとなって勢いよく日本海へと吹き注いでいた。

二学期が始まってから一カ月余りが経った。

今日は黄疸《おうだん》で四カ月間も入院していた保夫《やすお》がいよいよ学校へ登校する日だった。昭和も三十年代半ばのことだ。

眠い目をこすりながら社宅の玄関を出ると、鉛色の大きな変圧機と遮断機《しゃだんき》が何機も立ち並んでいるのが目に入った。入院するまでは見慣れた光景だったが、退院して、しばらくぶりに学校へ行く今朝は妙によそよそしく奇怪な姿に見えた。保夫のいる社宅は送電用の鉄塔や鉄構《てっこう》に囲まれた変電所内にあった。所内は変圧機の低く唸《うな》るような音が始終《しじゅう》響いていた。保夫はその音が耳に付いて昨晩はぐっすりと眠れなかった。

「保夫、大丈夫なの。一緒に行ってあげましょうか…」
玄関先でぼんやりと佇《たたず》んでいる保夫に、母の佳子が心配そうに戸口から声をかけた。
「大丈夫だよ。一人で行けるから……」
保夫は急いで玄関から歩きだしたが、数歩進むと、クラスメートの顔が次々と思い浮かび、不安が込み上げてきた。
《みんなに会ったら、どう言おうか……》
よく眠れなかったのは変圧機の音のせいばかりではなかった。久しぶりに学校へ行く不安のせいでもあった。
《まるで新しい学校へ転校していくみたいだ。あの学校でまた最初からか……》
電力会社に勤める父親の転勤で、四年生の保夫は今年の五月初めに県庁のある市から東に位置する田舎町の学校に転校してきた。
俯《うつむ》きながら歩いているうちに、保夫はいつしかドーム型の大きな建物の近くにきていた。その建物は変電所の事務所と隣接していて、建物内には一際《ひときわ》大きな変圧機と、その奥には余剰電力を使っての所員とその家族用の浴室があった。何気《なにげ》なく目を上げると、建物の外壁に目が止まった。
《なんだ。あの壁の染《し》みは……》
外壁は雨露に打たれ、黒い染みが浮かんでいた。保夫は立ち止まってその染みを見詰めた。見ているうちに、その染みの形に思い当たるものがあった。だが、それを言葉にするのが怖かった。すると、傍《かたわ》らのゴミ箱の上で真っ黒な猫が頻《しき》りに鳴きだした。と、背後を茶色の大きな犬が素早く駆け抜けて行ったような気がした。その時、不意に、父から聞いた、建物内の変圧機に触れて所員が感電死した話を思い出した。
《気味が悪い。もう思い出すのは止めよう。でも、本当にこの中で人が死んだのか…》
背筋が冷たくなってきた。外壁の染みの形が、ますます人の影のように見えてきた。
《あの影は、ここで死んだ……》
保夫は怖さのあまり走りだした。
《嫌だ、嫌だ……》
見るもの聞くもの、全てが忌《い》まわしかった。だが、それは今日に限ったことではなく、また、久しぶりに学校へ行く不安からくるものでもなかった。退院はしたものの、まだ体の奥深く神経のどこかが病んでいた。

事務所の前を通ると、中で二、三の所員が働いていた。その中に父の孝夫もいた。孝夫は保夫に気付くと、微笑《ほほえ》んで軽く手を振った。保夫も含羞《はにか》みながら手を振り返し、急いで変電所の門を出た。

《お父さんは、僕が病気になってから優しくなった……》

仕事熱心で保夫へあまり目を向けなかった父が、保夫が入院してからは優しい笑顔を保夫に向けるようになった。

父の笑顔を見て、保夫はいくぶん気分が晴れたが、学校へ行くのはやはり不安だった。仕方なくブラブラと変電所の前の道を歩いていると、不意に背後から誰かに呼び止められたような気がした。声に応じて振り返ると、思わずビクリとした。変電所の門脇の塀に何匹かの蛇がぶら下がっていた。

《わぁ、蛇だ。お母さん、助けて……》

胸の内で母に助けを求めて、もう一度、塀を見直すと、蛇ではなくて数本の荒縄《あらなわ》が塀から垂れ下がっていた。すると、先ほどゴミ箱の上にいた黒猫が塀の上にのっそりと現われて、保夫をジロリと見つめて短くニャッと鳴いた。ますます学校へ行くのが不安になってきた。

春の終わり頃、変電所の塀に腹を断ち裂かれた蛇がよく陽干《ひぼ》しにされていた。近所の農家の老人たちが蛇の干し肉が体の栄養や薬になるからと言って、陽当たりと風通しのよい変電所の塀に蛇をぶら下げていた。

《なんて土地だ。だから、こんな田舎は嫌なのだ。早く町へ帰りたい。…だけど、また転校となると……》

転校と考えるだけで再び気が重くなった。保夫は俯きながらゆっくりと歩きだした。手に持った鞄《かばん》がやたらと重かった。

午後の陽が陰《かげ》り始めていた。保夫は肩を落として社宅の前までくると、玄関の戸を押し開け、倒れ込むようにして家の中に入った。

「ただいま…」

「お帰りなさい。遅かったわね。学校、どうだった……」

佳子が玄関横の台所で夕飯の用意をしながら保夫に尋ねた。

「うん、前と変わっていないよ。でも、ちょっと疲れたな…」

保夫は億劫《おっくう》そうに靴を脱いで答えた。

「そう、疲れたの…。大丈夫なの。早めに夕食にするからね。それまで少し休みなさい」

佳子は炊事の手を止め、しばらく保夫の顔を注意深く見詰めていたが、再び夕飯の用意をしだした。

「ああ、疲れた。少し休もう…」

保夫は隣の部屋に行き、畳の上に寝転んだ。

体がずっしりと重かった。台所から聞こえてくる包丁の音を聞いているうちに保夫はいつしかウトウトとしだした。


ガランとした薄暗い廊下に、保夫一人が立っていた。辺りには消毒液の臭いが漂っていた。長い廊下だった。病棟の廊下の両脇には幾つものドアが並び、物音一つしなかった。保夫は母を探していた。だが、母はどこにもいなく、静かな世界に一人取り残されているような気がした。体が燃えるように熱くて、胸が不安と怯《おび》えで張り裂けそうだった。すると、突然、目の前のドアが大きな音を立てて開いた。

保夫は恐る恐るそのドアの中を覗《のぞ》き込んだ。

薄暗い部屋の中にベッドが一つあり、そこに誰かが白いシーツに包《くる》まって寝ていた。母のような気がした。保夫は部屋にズカズカと入り込み、そのシーツを捲《めく》った。と、ベッドには、顔が青白く浮腫《むく》んだ女の子が横たわっていた。驚いた。昨晩、腎臓病が悪化して死んだ子だった。すると、その女の子がムクッと起き上がり、保夫を指差してニコリと笑った。保夫は叫びながら廊下へ飛び出した。

廊下にはマスクをかけた白衣の者たちが犇《ひし》めい

ていた。それらは空《から》の注射器を振りかざし、保夫の血を求めて襲いかかった。保夫は逃げた。だが、すぐに捕まり、抑え込まれて、動きの取れぬ保夫の腕にそれらは一斉《いっせい》に鋭い注射針を刺し込んだ。「ぎゃー」と、保夫は大声で叫んだ。

「保夫、どうしたの…。しっかりしなさい。急に大きな声を出すから、びっくりしたわ。悪い夢でも見たの…」

佳子が心配そうに保夫を覗き込んでいた。炊事の途中で駆けつけてきたらしく、手からポタポタと水が滴《したた》っていた。

「ああ、怖かった。病院にいた時の夢を見たの。沢山の人が僕の処《ところ》へ採血しにきたの。それに真向かいの病室で死んだ女の子が僕を見て笑うんだよ。あの子、僕を迎えにきたのかな…」

「馬鹿なことを言うんじゃないの。それよりも早く着替えなさい。汗でビッショリよ…」

佳子は濡れた手を拭くと、横の箪笥《たんす》から着替えの肌着を取り出した。保夫は佳子の言う通りに着替えたが、頭の深奥には夢での恐怖がまざまざと残っていた。

黄疸で死の間際《まぎわ》までいった保夫の体は順調に回復していたが、死の深淵《しんえん》を覗き込んだ恐怖が、少年の繊細な神経をキリキリと苛《さいな》んでいた。それは、外傷が治って外見《そとみ》には何《なん》ら異常が見えないが、皮膚の奥深くに未《いま》だ膿《うみ》が溜《た》まっていて、僅《わず》かに触れただけでも全身に激痛が走るのに似ていた。保夫の傷ついた神経は、外見の健康さとは裏腹に完全に癒《い》えてはいなく、時たま激しく疼《うず》くことがあった。

「本当に大丈夫なの……」

「うん、大丈夫だよ。もう平気…」

保夫は佳子に屈託《くったく》なく答えたが、夢での恐怖がまだ胸に居座っていた。

「保夫、本当に大丈夫なの…。急に黙り込んだりして、体の具合でも悪いの……」

夢でのことを思い出しながら、ぼんやりと窓の外を見ていた保夫の顔を、佳子が心配そうに見詰めていた。

「何でもないよ。柿がもう実ったのかと思って外を見てたの…」

社宅の狭い裏庭と黄金の穂の田の境に一本の大きな柿の木があった。色づいた柿の実が幾つも枝もたわわに実って風に揺れていた。その柿の木から離れた所に無花果《いちじく》の木もあり、青々とした葉の間から熟れた赤黒い実を覗かせていた。

「そうね。もう柿の実を枝から取ってもよい頃ね。後で柿でも食べましょうか…」

窓の外を見ながら佳子が優しく言った。

「要らないから…。僕、あの柿の実なら絶対に食べないから。無花果の方がまだいい…」

保夫は無花果の木を指差して強い口調で言い返した。

「おやおや、変な子ね。前は柿が好きだったのに…。無花果なんか少しも食べなかったのにね。でも元気になったみたいで、よかったわ。それじゃ、宿題を早めにしておきなさいよ」

佳子は微笑みながら台所へ立ち去った。

《また嘘をついてしまった。柿は好きなんだけど、でも、あの柿の実だけは絶対に食べない。だって、あの柿の木の下には死んだ犬が埋まっているんだもの…。そんな柿の実なんか、絶対に食べられない……》

長屋《ながや》建ての隣の社宅の高校生の妙子から、保夫の社宅の前の住人が、飼っていた犬が死んだので、それを裏庭の柿の木の下に埋めたと聞いていた。茶色の大きな犬だったそうだ。そんな犬の死んだ肉の汁を吸って育った柿の実など、絶対に食べられるはずがなかった。

《お母さんやお父さんは、本当にあの柿の実を食べるつもりなのかな。柿の木の下に犬が埋められているのを知っているはずなのに…。とにかく僕は絶対に食べないから…》

口の中が苦くなってやたらと喉が乾いてきた。保夫は、畳の上に寝転び、社宅の煤《すす》けた天井を見詰めているうちに、また眠くなってきた。

薄暗い部屋の中で、裸の保夫は腹に冷たい鉄板を押し付けられ、片方にテレビ画面のある器械の間に立たされた。すると、看護師が黒い漏斗《じょうご》のような物を保夫の口に押し込んだ。その後で、白衣の医者が、先端にカメラを付けた細長い管を片手で持ち、その管に直結した空の注射器をもう一方の手で持ちながら保夫の前に現われた。

「胃の中をカメラで見ながら、この管で直接に胃から胆汁を取るからね」

医者は突《つ》っ慳貪《けんどん》に言うと、看護師たちに何か指示した。すると、彼女たちは保夫を抑え付け、医者から手渡された管を保夫の口の漏斗の中に差し込み、それを力任せに喉の奥へとグングンと押し込んだ。あまりの苦しさで保夫の目からはポロポロと涙が流れ落ち、鼻水もタラタラと垂れた。嘔《お》吐《と》に何度も見舞われたが、押し込まれる管で唾すら吐き出せなかった。管は喉から食道を経て胃へと蛇のようにクネクネと突き進んで体の生理を逆《さか》撫《な》で、保夫を腹底から苛んだ。《お母さん、助けて。死んでしまう……》。母に頻りに助けを求めたが、母はいなく、どこかで頻りに犬が鳴いていた。

ハッとして目が覚めると、着替えた肌着がまたビッショリと濡れていた。すると、どこかで犬が鳴いていた。それが柿の木の辺りのように思え、そう思うと体がブルッと震えた。その時、台所から保夫を呼ぶ佳子の声がした。

「保夫、起きているの。ご飯よ…」

「うん。でも、僕、おなかが空いてないから、ご飯、まだ食べたくない……」

保夫は気乗りのしない返事をした。

「駄目よ。退院したのだからモリモリ食べて元気をつけなくては…。いい、早くご飯を食べにきなさい…」

保夫を迎えにきた佳子に促されて、保夫は渋々と食卓についた。佳子は保夫の顔を窺《うかが》いながら、お碗にご飯をよそって保夫の前に置いた。

「さあ、沢山お食べなさい。今日は保夫の好物ばかりよ」

炊き上がったばかりのご飯は、白い湯気を立てていた。その白い湯気を見ているうちに、保夫は思わず溜め息を洩らした。その息でご飯の白い湯気が微《かす》かに揺れた。

　食事をどうにか終えると、保夫は、疲れたからと言って、いつもより早めに床に入った。頭から毛布を被《かぶ》り、体を丸めて眠りに就こうとしたが、一向に眠れなかった。学校でのことや、明日からのことを考えるとますます目が冴《さ》えてきた。眠れないままに随分時間が経ったように思えた。保夫は毛布を払い除《の》けて立ち上がった。隣の部屋からはテレビの音が聞こえてきた。

　襖《ふすま》の戸を開けて隣室を覗くと、佳子が食卓を前にしてテレビを見ていた。父の孝夫はまだ帰ってきていなかった。

「あら、保夫、起きたの。大丈夫…。ご飯もあまり食べなかったし、すぐ寝たから心配していたのよ。体の調子でも悪いの……」

　佳子が気遣わしそうに保夫の顔を見つめながら言った。

「大丈夫だよ。久しぶりに学校へ行ったから、疲れたんだよ。でも、やっぱり眠れないの。…おや、まだ九時過ぎなのか。お母さん、おなかが空いたよ。何か食べる物ないの…」

「そうね。夜も遅いから果物でいいかしら。皮を剥《む》いてくるから待ってて…」

　佳子は立ち上がると台所へ行った。テレビでは洋画が放映されていた。ホラー映画のようで、画面では、黒猫がやたらと鳴き騒ぎ、その黒猫に追われて女が泣き叫びながら逃げ惑うのを、保夫はいつしか熱心に見ていた。

「はい、皮を剥いてきましたよ。食べ易《やす》いように小さく切ってきましたからね…」

　台所から戻ってきた佳子が、果物の入ったガラスの器を食卓に置いた。

「うん、有り難う…」

　保夫はテレビに見入りながら頷くと、注意も払わずに器の果物にフォークを刺して口に運んだ。テレビでは、厳《いか》つい男が女を殺し、その女を地下室の壁の中に埋めていた。そして、その傍らで黒猫が頻りに鳴いていた。保夫は口を動かしながら夢中になってテレビを見ていた。凄惨《せいさん》なシーンに胸がドキドキし、口の中では果物の甘味が心地よく広がっていた。だが、その果物の幾切れかを口に入れた時、ふと厭《いや》な気分に囚われた。

「この味は…。お母さん、この柿、どうしたの…」

「これ、裏庭の柿の木の実よ。保夫が眠っている間に枝からもいできたの。美味《おい》しいでしょう…」

「うぇー」と、保夫は奇妙な声を出し、側の茶碗に柿の実を吐き出して、台所に向かって駆けだした。

《何てことを…。あの柿の実だ。あれほど嫌だと言っていたのに…。お母さんは、僕に犬の腐った肉の汁を吸った柿の実を食べさせたんだ…》

吐き気が治まらなかった。台所へ駆け込むと、蛇口をひねり、水で口を濯《すす》いだ。だが、どれだけ丹念に口を濯いでも、喉に汚物が貼り付いているようで気持ちが悪かった。外はシトシトと雨が降っていた。…と、その時、奇妙な気配に囚われた。誰かにしつこく見詰められているような気がした。それもひどく邪《よこしま》な視線のような気がした。保夫は視線を感じる方にゆっくりと目を向けた。すると、眼前の窓ガラスに保夫の顔がくっきりと映っていた。後ろの闇が窓ガラスを鏡にし、そこに映った保夫の顔の眼が、執拗《しつよう》に保夫を見詰めていた。保夫はその窓ガラスの顔を見詰め返した。確かに自分の顔だった。だが、どこかが違っていた。何か嫌なことが起こりそうな気がしてきた。

保夫は窓の顔の反応を見ようとニコリと笑った。だが、窓に映る顔は無表情のままだった。背筋に悪寒《おかん》が走った。保夫はもう一度大袈裟《おおげさ》にニコッと笑ってみた。だが、やはり窓に映る顔は無表情のままだった。体がブルブルと震えてきた。手に持ったコップの水が大きく揺れていた。外はまだ雨がシトシトと降っていた。

《これは僕の顔ではない。これは……》

柿の木の方で犬が鳴いたような気がした。その時、窓の顔が保夫を見てニヤリと笑った。息が詰まって鼓動が高鳴った。と、全身が隈《くま》なく恐怖で覆《おお》われ、「ぎゃぁー」と悲鳴を上げて、保夫は母の許《もと》へと駆けだした。だが、怖れで足が縺《もつ》れ、前のめりに倒れた。コップがコロコロと畳の上に転がり、辺りが水浸《びた》しになった。隣の部屋からその声を聞き付けて佳子が血相《けっそう》を変えて飛んできた。
　保夫は怖れのどん底に落ち込んだ。たった一日のことなのにあまりにも色んなことがあり過ぎた。少年の繊細な神経を包む薄い上皮が過度な刺激で裂けて、その奥の病んだ神経が一気に露《あら》わになって悲鳴を上げた。その夜から二日間、保夫は高熱で寝込んだ。

　窓ガラスに映る顔を見てから、保夫は自分でも情けないくらいに臆病《おくびょう》になった。ドーム型の建物の壁の染みが怖くて傍らを通れなく、門脇の塀には多くの蛇がぶら下がっているようで近づけなくなった。また、背後を頻りに犬が走るような気がして、保夫を呼ぶ怪しげな幻聴にも悩まされた。そして、夜が来るのがやたらに怖かった。
《僕は、いったい、どうなったのだろう…》
四カ月の入院で傷付いた神経は、体が回復するにつれて、仮初《かりそ》めの癒やしの中でまどろんでいたが、外界の様々な刺激で叩き起こされて軋《きし》み、日常の些細《ささい》なことにまで、漠然とした怖れと不安を覚えるようになった。夜の帳《とばり》が下り始めると、夕闇の中に得体《えたい》の知れぬものが立ち現れ、それが柿の木やドーム型の建物の壁の周辺でひっそりと息《いき》衝《づ》いて虎視眈々《こしたんたん》と人の世界を窺っているように思えた。また、夜中に窓ガラスや鏡の前を通ると、そこに映る自分の顔が忽《たちま》ち異形《いぎょう》のものに変じ、怪しげな笑いを浮かべて異界へと連れ込むように思えた。
　保夫の食は日増しに細くなり、口数も極端に少なくなった。保夫の怯えが目立ってくると、佳子と孝夫は前よりもいっそう保夫に優しくなった。深夜、保夫が怯えながら便所へ行く時には必ず佳子が付き添い、何やかやと頻りに孝夫は保夫に話し掛けてくるようになった。だが、保夫は、父と母のその優しさは十分に分かったが、自分のこの怯えを自分ではどうすることもできなく、やきもきしていた。

しだいに陽射しが弱まり、夕暮れが早まるようになってきた。田の稲もすっかり刈り取られ、変電所に巣くう蝙蝠《こうもり》が早い時刻から社宅の上を我が物顔に飛び交うようになった。だが、保夫は拭いきれぬ怯えの中で悶々《もんもん》と過ごしていた。そんなある日、学校帰りに文房具店に保夫は立ち寄った。薄暗く人気《ひとけ》のない店内を奥に進むと、不意に鋭い小さな光が目を射た。奥の陳列棚の片隅に室内灯の微かな光を受けて切り出しナイフの刃身が輝いていた。保夫はそのナイフに目を奪われた。鋭い刃先が周辺の闇を切り裂いて、諸々《もろもろ》のおぞましいものを追い払っているように思えた。保夫はそのナイフに釘づけになった。すると、保夫の胸内に仄《ほの》かな光が点《とも》った。保夫はすぐに小遣いをはたいて、そのナイフを買った。ずっしりと重く冷たい感触が期待通りに頼もしかった。それをポケットの中で握り締めて家路を急いだ。足取りがやたらと軽かった。胸の奥底に巣くっていた怯えが雲散《うんさん》し、萎縮《いしゅく》していた胸内に命の軽やかな息吹が蘇《よみがえ》ってきたように思えた。

変電所内に入り、事務所の前を通ってドーム型の建物の傍らを通り過ぎようとした。すると、条件反射のように建物の外壁から目を逸《そ》らせ、足を急《せ》かせようとした。だが、今日はすんでの所で踏みとどまった。

《何だ、こんな染み…。このナイフがある限り、こんな染みなんか怖くはない……》

保夫は、ポケットの中のナイフを強く握り締めて恐る恐る壁の染みを見た。

《どうだ。やっぱり怖くはない…。このナイフがある限り大丈夫だ。どんなもんだ。怖くなんかはないのだ……》

保夫は怖さを忘れようとして、壁の染みを睨《にら》みつけて強がっていたが、膝は小刻みに震えていた。その時、屋根上で猫が鳴いた。すると、忽ち保夫に恐怖が舞い戻り、社宅へ急いで帰ろうと振り返った。その瞬間、何か柔らかで芳《かぐわ》しいものにぶつかった。

《何だ、これは…。何ていい匂いなんだ…》

誰かにぶつかったようだった。

《あっ、妙子さん……》

隣の社宅の妙子だった。すらりと伸びた均整の取れた体に、目鼻立ちの整った細面《ほそおもて》の美しい顔が微笑んでいた。

「保夫ちゃん、ごめんなさい。大丈夫、痛くはなかった…」

「うん、痛くはないけど……」

保夫は言葉少なに答えると耳まで赤くなった。妙子は隣町の高校に通っていた。来年には卒業のはずだが、家庭に何か問題があるらしく、変電所の片隅で時たま泣いていることがあった。そのせいか、妙子は美しさの中に寂しさも漂わせていた。

「保夫ちゃん、気をつけて…。また遊びに来てね…」

妙子は保夫に手を振ると、門の方へと立ち去った。後ろ姿がやはり寂しそうだった。

《お母さんも優しいけれど、妙子さんも優しそうだ。それに、いい匂いはするし、綺麗《きれい》だし…》

保夫は妙子の後ろ姿をいつまでも見ていた。

《本当に綺麗なお姉さんだ……》
妙子が門の外へと消えた。と、保夫は自分がまだドーム型の建物の近くにいるのに気が付いた。
《しまった。こんな所で……》
急に怖さが蘇ってきた。保夫はナイフを強く握り締めると自分の社宅へと駆けだした。
《でも、もうナイフがあるから怖がらなくてもいいんだ。このナイフがあるから……》
ナイフを握っていると少し気持ちに余裕が出てきた。保夫は走りながら今し方の妙子のことを思い浮かべた。すると、妙に仄かで胸苦しい想《おも》いが込み上げてきた。こんな気持ちになるのは初めてのことだった。
それからというもの、保夫はナイフを持ち歩くようになった。ナイフを握り締めていれば、壁の染みや門脇の塀などはさほど怖くはなかった。柿の木が風で騒《ざわ》めいていても、ナイフの刃先を木に向けていると自然に怯えも鎮まった。また、夕闇にその刃先を突き付けると、闇への怯えも薄れて自分をどうにか保つことができた。ナイフはいつも保夫のポケットに納まり、眠る時も必ず枕の下に置いた。ナイフは保夫にとって、最近見たドラキュラ映画のバンパイアが嫌う十字架のようなものだった。

北陸の空はしだいに鉛色に覆われ、冷え冷えとした雨が、葉の落ちた枝々に陰々《いんいん》と降るようになった。保夫の怯えは薄らいできたとはいえ、晩秋の陽の陰りと夜の闇の濃厚さに不意に怖れを蘇らせる時もあったが、保夫はナイフを握り締めて健気《けなげ》に学校に通っていた。

午後の音楽室での最後の授業を終えて教室に戻ってくると、相も変わらず、餓鬼《がき》大将の矢合《やあい》が、同じ病院に入院していた竹島を苛《いじ》めていた。矢合が丸めた教科書で竹島の頭を叩くつど、竹島は大げさに嘆いて哀れみを請い、その道化《どうけ》た姿を見て矢合とその取り巻きたちはゲラゲラと笑っていた。竹島は苛められて矢合に媚《こ》び、矢合もそれを知った上で竹島を苛めて仲間の端に加えていた。保夫は矢合も竹島も大嫌いだった。すると、矢合が教室に戻ってきた保夫に気付いて近寄ってきた。

「おい、保夫、最近、俺の所に来ないな。たまには俺の所へも来なよ。それとも、俺に何か文句でもあるのか……」

矢合が大きな体を気忙《きぜわ》しく動かしながら声高に話しかけた。

「文句なんか何もないよ。分かったよ。今度、行く時にはお菓子でも持っていくから…」

ポケットのナイフを握り締めながら、保夫は、矢合の顔を見て答えた。

《誰がお前の所へなど行くものか。お前なんか少しも怖くはない。僕にはこのナイフがあるから……》

保夫はナイフを握り、胸の内で何度も自分に言い聞かせた。

「そうか、待っているからな…」

ぞんざいに言うと、矢合は取り巻きを連れて教室から出ていった。その後をニヤニヤと笑いながら竹島も追いかけて行った。

保夫も、クラスが騒がしくなったので、教室から出て廊下を歩いていると、不意に消毒液の臭いが、俯いている保夫の鼻を突いた。目を上げると、保健室の前にきていた。保夫は保健室が嫌いだった。保健室の消毒液の臭いと保健の先生の白衣が病院での不快なことを思い出させるからだ。保夫は慌てて保健室から離れ、鼻に付く消毒液の臭いを消すのに校舎の外に出た。校舎の横には木造の旧校舎が建っていた。コンクリートの新校舎への移転中なので旧校舎には人影がなく、敷地にポツンと取り残されていた。

空が曇って雨が降りそうだった。保夫は空を見上げながら旧校舎の中に入った。埃《ほこり》だらけの廊下を歩いていると、以前、理科室として使われていた教室に行き当たった。開け放しの準備室の戸口から中を覗くと、器材や標本の大方《おおかた》は新校舎へ運ばれて、後には小物やガラクタ類が乱雑に床に転がっていた。

保夫は部屋に入り込んだ。壁土が崩れ、腰板の何枚かが剥《は》がれていた。部屋の中を見回すと、片隅の床に崩れた壁土の中に白い物が埋まっていた。床に転がっていたモップで壁土を払い除けると、薄汚れた人体模型の人形だった。人体の縦半分の内部を剥き出しにした気味の悪いものだった。外ではザーザーと雨が激しく降りだしたらしく、室内も暗くなってきた。

薄闇の中で、保夫はモップで軽くその人形を小《こ》突《づ》いた。すると、人形の一本の腕がポロリと落ちた。ますます気味が悪くなってきた。保夫は気味悪さからモップで何度も人形を叩きつけた。だが、いくら叩きつけても、人形の白い顔の、稲光《いなびかり》に映える異様に赤い唇が、保夫を嘲笑《あざわら》っているように見えた。保夫に怯えがゆっくりと込み上げてきた。ナイフを握った。人形のひどく赤い唇は、病院にいた看護師の真っ赤な口紅を思い出させた。看護師には不釣り合いな唇の色だった。その赤い唇で、看護師は、毎日、保夫の血を採りにきた。

保夫は怯えと同時に苛立ちに囚われた。モップを捨ててポケットからナイフを取り出すと、人形を踏み付けて跨《また》ぎ、そのおぞましい唇目掛けてナイフを突き立てた。人形の白い顔がしだいにナイフ疵《きず》で黒い穴だらけになった。それは保夫が病院で受けた腕の注射針の痕《あと》と同じようだった。

苛立ちが治まらなかった。保夫は人形に何度もナイフを突き立て、これが最後と人形の白い顔に思い切りナイフを突き立てた。と、その瞬間、驚くべきことが起きた。頑丈なナイフの刃がポキンと折れた。信じられないことだった。身を守るべき物が何一つなくなった。すると、足元の人形がグラリと横に傾き、足が一本もげ落ちてカタコトと床の上に転がった。

保夫は後退《あとずさ》りしながら人形の顔を覗き込んだ。穴だらけの白い顔が、保夫を恨めしげに見上げていた。それは、シトシトと雨降る深夜の台所の窓に映った顔を思い出させた。背筋に冷たいものが走った。全身がガタガタと震えだした。保夫は悲鳴を上げ、ナイフを投げ捨てて無我夢中《むがむちゅう》で駆けだした。すると、下腹《したばら》がやたらに痛くなってきた。

準備室から走り出ると、そのまま旧校舎の使用禁止の便所へと飛び込んだ。下腹が錐《きり》で突つかれるように痛かった。保夫は、臭く汚い便所の暗闇に蹲《うずくま》り、下腹の痛みに耐えた。痛みが緩《ゆる》むと今度は激しい下痢《げり》に襲われた。その後、何度も下痢に見舞われ、長い間、保夫は便所の闇の中に身を沈めていた。


旧校舎を出ると、雨は上がっていたが、辺りは夕闇が立ち込めていた。保夫は腹に手を当てて家路を急いだ。歩いているうちに、やたらと便意を催してきた。保夫は必死に便意を堪《こら》えて社宅へと急ぎ、ようやく変電所に辿《たど》り着いた。変電所の門を通り、ドーム型の建物に差し掛かった時、ふと壁の染みに目が止まった。

染みは、夕闇の中で人の姿をくっきりと浮かび上がらせていた。保夫の背筋に再び冷たいものが走った。思わずポケットをまさぐったが、ポケットは空だった。保夫の体が怖れで急激に強張《こわば》った。その時、足が棒立ちになり、全身から血が引いた。その時、変電所の敷地と畑の境辺りから犬の鳴き声が聞こえてきた。

《あれは柿の木の下の犬だ…》

恐怖が全身を貫いた。怖さ一念で身を翻《ひるがえ》すと自分の社宅へ向かって駆けだした。だが、駆けだした途端、石に躓《つまず》き、前のめりに倒れた。すると、保夫の尻に生暖かでドロドロした物が溢《あふ》れ出て、それがパンツの下の尻一面にベットリと粘り着いた。恐る恐る尻を見ると、ズボンが濡れて変色し、悪臭を放っていた。倒れた瞬間、下痢気味の便が尻に溢れ出たようだった。

《何てことだ。大便を漏《も》らしてしまった…》

自分ながら情けなかった。保夫は濡れてベトベトする尻の不快さを堪え、言いようのない惨《みじ》めさを引き摺《ず》って社宅へと向かった。

社宅に着くと、佳子が玄関横の洗い場で大根を洗っていた。

「お母さん……」

切なげな声で保夫は佳子に呼びかけた。

「どうしたの、そんな顔して、何か臭いわね……」

佳子は心配そうに保夫を見つめた。

「お母さん、どうしよう。僕、下痢で、転んだ拍子《ひょうし》にパンツを汚してしまった……」

一瞬、佳子は驚いたが、すぐに表情を改めて労《いた》わるように優しく保夫に声をかけた。

「まあまあ、大きな子が。まずはお薬を飲んで、それからズボンを脱いでお尻をお風呂で洗いましょう。今の時間なら、お風呂は空いていると思うから。心配しないで…」

佳子は保夫に薬を飲ませると、グズグズしている保夫の手を引いて、ドーム型の建物の奥にある浴室へ連れていった。浴室に近付くと、石鹸《せっけん》の芳しい香が鼻先に漂ってきた。

「おや、お風呂に誰か入っているみたいね」

佳子が困ったような顔をして保夫の顔を見た。浴室のドアに〈入浴中〉の木札とピンクのサンダルが脱ぎ揃《そろ》えてあった。そのサンダルに保夫は見覚えがあった。

「困ったわね…。でも、気持ちが悪いわよね。仕方がないわ。お尻だけでも洗わしてもらいましょう……」

佳子は、保夫に確かめた後、そのサンダルの持ち主に覚えがあるらしく、浴室のドアを叩いて事情を言って頼み込んだ。すると、すぐに聞き覚えのある承諾の声が返ってきた。

「保夫、隣の妙子さんよ。よかったわね。妙子さんなら頼みやすいから、助かったわ…」

だが、保夫はかえって気が滅入《めい》った。

《嫌だなあ。妙子さんに僕がパンツを汚したことが分かってしまう。どうしよう……》

しばらくして浴室の鍵を開ける音がして戸が僅かに開いた。だが、保夫は浴室の前でモジモジと佇んでいた。

「保夫、何してるの。早く入りなさい…」

佳子に急き立てられて、保夫は浴室に入り、汚れたパンツを更衣室で脱ぐと湯殿に入った。

狭い湯殿は、薄暗い光の中で湯気が濛々《もうもう》と立ち込めていた。

「妙子さん、ごめんなさいね。この子、下痢気味で、学校の帰りにお漏らししてしまったの。本当にごめんなさいね。お風呂に入っていたのが、妙子さんで助かったわ…」

佳子は浴槽《よくそう》から桶で湯を汲み出すと、何度も保夫の尻に注ぎかけた。保夫は裸の尻を妙子の目に曝《さら》しているかと思うと、恥ずかしさのあまり、目に涙が滲《にじ》んだ。

「どういたしまして。お風呂、今頃が一番空いているので、私、学校から帰ったらすぐに入らしてもらっているんです…」

妙子は湯気の中で佳子に答えた。いつもの寂しそうな妙子とは違い、湯殿の中の妙子は妙に明るく華やかだった。

「保夫ちゃん、お尻、綺麗になってよかったわね。おや、どうしたの。泣いているの…」

妙子が、俯いて涙を滲ませている保夫の顔を覗き込んで尋ねた。

「妙子さん、恥ずかしがっているのよ。馬鹿ね、泣かなくてもいいのに…」

保夫の背後から佳子の声が聞こえた。その声で保夫は目を上げると、すぐ目の前に、少し前かがみになった妙子が微笑みながら保夫の顔を見ていた。その時、保夫は思わず目を見張った。妙子は

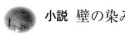

タオルで前を覆っているとはいえ、湯浴みした滑らかな肌が薄暗い光の中で輝いていた。前かがみになった胸には、張りのある形のよい乳房が無垢《むく》な白さを秘めて膨らんでいた。肩先から尻へは滑らかな曲線が優しく流れ、スラリと伸びた脚へと続き、全身が優美な白い曲線に縁取《ふちど》られて、立ち煙る湯気の中で初々《ういうい》しく煌《きら》めいていた。

《妙子さん、何て美しいのだろう……》

保夫は目を奪われて茫然《ぼうぜん》と妙子を見つめていた。

「保夫、どうしたの、ぼんやりして。綺麗にお尻を洗ったから、さあ、上がりましょう。妙子さんに、お礼を言いなさい」

佳子の言葉で、保夫はようやく我に返った。すると、改めて自分の姿に気が付いた。下痢で大便を漏らし、あげくに妙子の前で尻を曝して洗われたのかと思うと、あまりにも恥ずかしくて悲しくなってきた。

と、目から堰《せき》を切ったように涙がポロポロと溢れ出てきた。「まあ、仕様《しよう》のない子ね。妙子さん、ごめんなさいね。これで上がりますから…」

佳子は妙子に礼を言うと、急いで保夫に着替えをさせて浴室から連れ出した。

《お母さん、酷《ひど》いや。妙子さんに僕のあんな恥ずかしい姿を見せるなんて……》

涙がますます溢れ出てきた。やたらと悲しくて切なかった。だが、湯殿での妙子の姿を思い浮かべると、涙が流れているにもかかわらず不思議と胸が浮き立った。

その日から、保夫に心騒ぐ夜が訪れるようになった。闇が怖いからではなかった。壁一つ隔てた長屋建ての隣の社宅に妙子が寝ているのかと思うと、湯殿で見た妙子の美しい姿が思い浮かんで、今までに味わったこともないような熱い胸騒ぎと熱苦しい吐息までもが立て続けに出た。

湯殿での妙子の姿を思い浮かべると、どうして、こうも胸が熱く騒ぐのかと自分でも不思議で、それが何なのか、保夫には分からなかった。突然に見舞われた不思議なときめきだった。

そして、そのときめきにいつまでも浸りたいという想いと、できればもう一度、湯殿での妙子の姿を見たいという想いに駆られた。また、そんなことを考えるようになった自分が、以前の自分とは違うようで空恐ろしく戸惑ったりした。

湯殿で妙子を見て以来、保夫に新たなものが芽生えてきた。それが日増しに輪郭を整えてくるにつれ、保夫の胸に犇《ひし》めいていた怯えに代わり、新たな思春期のときめきが座を占めだした。もうナイフなど必要ではなかった。ドーム型の建物の壁の染みや、裏庭の柿の木も気味悪くはなくなった。周囲の総てに怯え、不安に囚われて闇に怯えた頃の自分が不思議でならなく、遠い昔のことのように思えてきた。

そして、腕の注射針の痕も消え、病院での不快な記憶もしだいに薄れてきた。病院で傷付いた神経は完全に癒えたとは言い切れぬが、胸奥で固い痼《しこ》りとなって鳴りを潜め、いずれ痛みだすかもしれないが、今の保夫の目の前には湯気に煙る妙子の姿だけが居座って煌めいていた。少年の心は、ほんの些細なことで驚くほどに豹変《ひょうへん》し、短い期間で目紛《めまぐ》るしく脱皮を繰り返していった。

北陸の空は日増しに曇りがちになり、鉛色の低い雲が空一面に低く垂れ籠めて、降り出す雨もいつしか霙《みぞれ》になっていた。丸裸になった木々の枝には色褪《あ》せた鴉《からす》が止まり、悲しそうに空を見上げて鳴いていた。その背後の高い山の峰々には既にうっすらと雪が積もり、長くて暗い北陸の冬がすぐ間近に迫っていた。

だが、保夫の心は外界の陰鬱《いんうつ》な初冬の装いとは違い、怯えた暗い冬がようやく終わり、悩ましい春が訪れようとしていた。

立野幸雄（たての・ゆきお）
1950（昭和25）年富山市生まれ。立命館大・慶大の各文学部卒。文学修士（仏教大）、人間学修士（武蔵野大）。富山県立高校教諭、八尾高校長、同県立図書館長、射水市大島絵本館長を歴任。とやま文学賞、富山新聞文化賞。北國新聞書評グループメンバー。

小説　錆《さ》びたノコギリ

飯田　労

昔は電車も走っていた表通りに面する小さなハンコ店だった。戦後復員した父はこれといった仕事もなく、戦前に少しお世話になったハンコ店にすがり住み込んだ。そこの三つ年下の娘と結婚し後を継いだ。しばらくは貧困の生活だったが、幸い日本はハンコ文化の社会であった。役所関係の書類は無論の事、銀行印や出勤簿の捺印《なついん》、どんな時にもどんな所にもハンコは必要だった。総《すべ》てハンコは手彫りでハンコはハンコ店に注文するのが当たり前の時代だった。経済の発展と共に商売は穏やかではあったが順調に伸びていった。そんな中姉が生まれ、四年後に私が生まれた。

　長男で末っ子の私は母に大事にされ、姉には可《か》愛《わい》がられた。逆にその事が成長すると共に、二人に対しては頭の上がらぬ存在となった。しかしそれ自体を殊更《ことさら》意識的に感じる事はなかった。だから別に苦にする事もなかったし、その必要もなかった。父は特に私に対してとやかく言う人ではなかった。ただ母と姉という女性の間でちやほやと育てられたせいか、同級生の男子達とのやんちゃな遊びにはあまり参加する事もなかった。

どちらかと言えば大人しく本を読んだり、父の横で彫刻刀を握ったりするほうが好きだった。得意先の客や近所の人が店に顔を出すと、もう後継ぎが出来たか、と冗談交じりに言ったりしたが、父は満更《まんざら》でもない笑顔をいつも作っていた。

高校時代はクラブに入らずもっぱら父の手伝いをした。三文判やゴム判、やがて実印も手掛けるようになった。誰言うとなく腕の良さは早くも父をしのいでいた。特にハンコの輪郭の丸い線は誰よりも細く彫れた。その事が嬉《うれ》しくてハンコという物に深くのめり込んだ。卒業と同時に店の仕事に就いたのは当然の成り行きだった。高度経済成長と共にハンコやゴム印の需要は伸びていった。

そんな中私が二十代半ばの頃、父が他界した。呆気《あっけ》ない死に方だった。近所の仲間と飲みに出掛けた。自転車で行ったのが災いした。酔っぱらい運転でハンドル操作がおぼつかなかった。小さな溝に突っ込んだ。当たり所が悪かった。側溝に頭を打ちそのまま気を失い、長時間発見される事もなかった。警察から連絡が入り我々が病院に駆けつけた時すでに息はなかった。

姉はすでに嫁いでいた。私と母の二人っきりの生活が始まった。家庭内の身の回りの事は母が総てしてくれた。それに父の時代から店の経理から家計まで母が取り仕切っていた。私はただ仕事に没頭すれば良かった。

ハンコの商売は店から出る事のない、家内仕事みたいなものだった。一日中作業机に向かい、時として会話は母のみで他人と顔を会わす事のない日もあった。第一お客に若い女性など来る事はなかった。高校卒業と同時にこの職業に就いた私は友達も少なかった。日曜日など一人テレビを見たり読書したり。結局は作業机の前に座ったりして一日を過ごした。

ただ父が死んだ後、急に見合いの話が頻繁に持ち込まれるようになった。ハンコ店の主となった以上早く嫁を持たせて身を固めさせようという母と姉の工作だった。当時は仲人と称する半商売人みたいなオバサンや近所の世話好きな人もいた。

やれスナップ写真の中で一番写りの良い物は、とアルバムから数枚が抜かれ履歴書を書かされた。そして女性の同じような物が私の前に広げられた。中には写真館で撮られた成人式の物もあった。

見合いは最初の頃は私にも相手に対する理想というものがあり、写真交換の段階で断る事もあった。やがて逆に断られる回数が多くなった。理由は簡単な事だった。二人っきりになると会話がない。私は急に押し黙り、相手の言葉には短く返事するだけだった。無理もない。高校時代から女性に話し掛けたりする事に気恥ずかしさを感じたし、家業を継いでからは女性といえば母と姉、近所のオバサンとは挨拶《あいさつ》程度。それでも見合いの前は二人になったらどこへ行こう、どんな会話をしよう、とあれこれ考えたものだった。それがいざとなると総てが真っ白になった。女性にすればつまらぬ相手だったろう。それに黙って見惚《みと》れる程の美男子ではない。見合いの回数は二十数回にも及んだ。年齢も三十代に入り、容貌もそれなりに老けてきた。頭髪の薄さも気になり始めた。次第に自分自身に自信がもてなくなった。いつしかまったくの受け身になっていた。どんな相手でも構わない。そんなふうにまで思っていた。しかしそんな都合は滅多《めった》にあるものではない。

ところがそんな奇跡が起こったのだ。見合いをした翌日相手先から、お付き合いをお願いします、との返事が仲人を通じてあったのだ。平凡な顔立ちの特徴もない体格の、足が少々短いかな、といった印象の女性だった。無論私とて相手の事をとやかく言う資格はない。私も即座に返事を返した。その週から形ばかりのデートが始まった。ぎくしゃくとした時間と共に。

しかし仲人はこんなチャンスは二度とない、とばかりに両家の間を振り子のように動き回り、二人の意志など関係なしに結納の日を決め、大安吉日を選び式場の準備を急がせた。両家共この機会を逃したら次がいつになるのか、いや次があるのか、と話はトントン拍子に進んだ。彼女の家庭にもそれなりの事情があった事は仲人の口から薄々《うすうす》察せられるものがあった。しかしそれがどんな物であれ、私にとって結婚の話が進むという事は嬉しい事だった。

同居という、それぞれが異なった生活習慣のぶつかり合う、どこか歯車のかみ合わぬ生活が始まった。私はいつも通りハンコを彫り妻は仕事を続けた。母の生活にも大きな変化は見当たらないように見えた。それでも妻が仕事に出かけると愚痴とも嫌味《いやみ》ともつかぬ言動が私を悩ませた。それはあんなに息子の嫁を欲していたとは思えぬ態度だった。それでも二人はぶつかり合う事もなく、私を間に一定の距離を保ち、傍目《はため》には穏やかな波の立たぬ湖のように見えた事だろう。しかし私の足元はたえず強い流れに晒《さら》され、舞い上げられた泥で濁っていた。

最初の子が産まれたのは新婚初夜からの日数を数えて計算通りかな、と疑う程の早さだった。妻は妊娠一カ月は二十八日で計算するのよ、と意に関しなかった。妻はそれを機会に仕事を辞めた。その為《ため》新たな悩み事も増えた。それは一日中同じ屋根の下に嫁姑がいるという事実だった。私の足元は激流となり大小様々な渦を作った。穏やかな表情を浮かべながら私は耐えた。

最初の子が産まれた時近所のオバサンが、もう一人頑張ればもう大丈夫よ、と囁《ささや》いた。どういう意味か理解出来なかった。二人も子供を持つと女は別れるなんて考えないから。足元を流れる水の乱れは回りにも察知されていたものと知った。その二番目が産まれた時、母は私達の前に店の帳簿と銀行通帳、そしてハンコを置いた。店の経理と一切の家計を任せ、自身はこれから自由な生活に入ると宣言した。ふと近所のオバサンが言った、二人目云々《うんぬん》という言葉を思い出した。母もそんな事を信じていたか、あるいは母自身の言葉だったのか。

仕事に事実上携わっていたから売上や仕入れの額は把握していた。そこに電気や水道等の費用、通信費諸経費を差し引いても、私の同年輩のサラリーマンの手当よりは数倍のものがあった。ただ母は今迄《いままで》の利益の蓄えは黙っていた。私も敢《あ》えて追及しなかった。それはうやむやにしておいた方があらぬ波風が立たぬという親子の間の暗黙の了解だったかも知れない。妻はこれで安心して子供達を大学まで行かせる事が出来る、と喜び私は自身の仕事がお金という評価で変わる事に手応えを感じた。数カ月後には子供達の為と称して大型のワゴン車を買った。

その後母はカルチャーセンターだ老人会だと毎日のように出掛け、急に増えた友達や時には姉の誘いを受けて旅行に行った。泊まりがけの時などその姿を見送った後の開放感にも似た感情は、夫婦にとって格別のものがあった。そんな晩は必ずといって良い程外食だった。一方妻の方も店番や家事の事、子供達の世話やＰＴＡの役員として多忙な毎日だった。そんなある日私は母に呼ばれ庭に面する縁側に立った。広くもない庭だった。それでも父には自慢の庭だった。

中央に三段に丸く枝を張った五葉松《ごようまつ》を植え、周りに大小の石を並べ、楓《かえで》の下に小さな灯篭《とうろう》を置いた。毎朝五葉松の枝葉を剪定《せんてい》したり、細竹を枝下に結んで好みの方向に姿を整えたり、雑草は小まめに取り、苔《こけ》で地面を覆うのだとせっせと水を撒いた。しかし私には余り興味の持てるものではなかった。それどころか父が死んだ後、その意志を引き継いだ母が手入れの手助けを求める事が疎ましかった。

庭をまじまじと見るのは久し振りの事だった。

今迄全体に丸味を帯びたように見えた五葉松の枝ぶりが、葉先の伸びた不揃いなものになっていた。苔の緑も茶色に変色し雑草の広がりも目立った。私はそんな庭の手入れでも頼まれるのかな、と思った。

「あれ、すぐに撤去するように言って頂戴」

母が指差した先に赤や黄色の花が咲いていた。

「あれですか」

母は頷《うなず》いた。

「あんなもの庭に有りましたっけ」

私は至って呑気《のんき》だった。

「あるわけないでしょ。誰かさんが植えたんでしょ。今朝方まではなかったから」

目を逸《そ》らす事なく母は続けた。その誰かさんとは妻以外の誰でもない。私は顔をしかめ、日本庭園の松と苔むす庭石の緑に似つかわしくない原色の花の密集を見詰めた。お願いしますね、と母はきつい調子で言った。去っていく足音が荒い。

妻にどう言ったものか思案しながら溜息をつかざるを得なかった。ここは撤去してもらうしかない。未《いま》だにこの庭は父が丹精した、そしてその意志を引き継いだ母の庭なのだ。しかし妻はなぜ私に一言の相談もなしにあんな行動に出たのだろうか。ふと思い当たる節があった。

二軒隣の家が子供の成長を機会に建て替えたのだ。戦後間もなく建てられた玄関とそれに続く居間がすぐ道路際まで迫った建物を取り壊し、奥の庭を平地にして新居を建て、前を駐車場にしてその中間に狭いながらも花壇を作ったのだ。奥さんのたっての希望とかでそこはすぐに花園と化した。四季折々の花が咲き、玄関先にはバラの鉢が並んだ。そして奥さんは暇さえあれば、時には家族総出で花壇の手入れに励んだ。

妻はそんな様子を非常に羨《うらや》ましがった。しかし我が家は正面が自家用車とお客用の駐車場で奥は庭。花壇など作るスペースはない。せいぜいが隅っこにプランターを並べる程度か。しかしその数は知れたものだ。おそらく我慢出来ずに庭に植えたのだろう。しかしせめて和式の庭には同じ花でも桔梗《ききょう》や萩《はぎ》、色彩が欲しければ芍薬《しゃくやく》や牡丹《ぼたん》の花。

私は立ち尽くし庭を見続けた。急に水面が波立ち、足元がすくわれる思いに捉われた。

私は妻の機嫌を窺いつつ庭の花の件を頼んだ。妻は、お母様がじかに言えば良いものを、と私を見詰めた。予《あらかじ》めこうなる事は判《わか》っての行動だったかも知れない。私は妻の顔を見る事が出来ないでいた。妻は黙したまま動いた。妻は植えたばかりの花を掘り起こし、ビニール袋の中に放り込んだ。いつになく手荒な所作と悲しげな背だった。私は心の内で済まないと詫《わ》びながら、言葉を掛けられないでいた。そんな私の意志が暫らく二人の間をギクシャクとしたものにしていた。それでも何時しかそんな事件を私は忘れていた。

母の死も父同様突然の事だった。正月に自らが作った雑煮の餅を喉に詰まらせたのだ。二人の娘の成長と共に食事の内容は大きく変化していた。朝はパンとミルクだったり、特に妻はオートミールの多くのレシピを持っていた。夕食もカレーであったりハンバーグであったり、手間を省いたマーケットの総菜。焼き魚や味噌汁《みそしる》はテーブルから失せていた。

正月料理も例外ではなかった。昔風の黒豆やカズノコ、昆布巻きに栗きんとん。そのような物はすっかり肩代わりして、フライドチキンやローストビーフ、ポテトサラダ。だから何時の頃からか母は、縁起物だから、と言ってスーパーで一人前の正月料理を買って来ていた。雑煮も例外ではなかった。我が家から餅というものが姿を消していた。お鏡餅だって店に飾るだけの物になっていた。それも次第に小さくなり、時には中身が砂糖の事もあった。

嫁いだ娘達はそれぞれの事情で正月に一同に会するという事は稀《まれ》になった。今年もそうだった。私達夫婦は元旦の朝早くに初詣に出掛けた。三つばかり神社仏閣を巡り、家に帰ったのは正午をやや回った頃だった。そして台所で倒れている母を発見した。慌てて救急車を呼んだが手遅れだった。雑煮の餅が喉に詰まったのだ。葬儀は葬儀場の仕事始めを待って家族だけで執り行った。

そして初七日を終えた日曜の朝の事だった。いつになく朝寝坊した私は何気《なにげ》なく見詰めた庭に不似合いな赤や黄色に目を止めた。同時に忘れ去られていた記憶を呼び戻された。私は憮然《ぶぜん》と立ち尽くした。ふいに耳元で声がした。

「ね、可愛いでしょ」

振り向くと妻が立っていた。その表情はにこやかであった。私は腑抜《ふぬ》けたようにただ、アー、とだけ答えた。

それは花屋の店先に並べられた、一つ百円や七つ五百円と書かれた黒いビニールのカップに入った物だった。それでも妻は嬉しそうに私に笑い掛けた。姑がいなくなった今、遠慮する者は誰もいなかった。妻は数十年の月日、自分が好んで植えた花を掘り起こさねばならなかった悔しさを持ち続けていたのだ。初七日は単なる区切りだったかも知れない。

「お願いがあるんだけど」

私は一瞬言いようのない緊張感に捉われた。

「あの松の木、切ってほしいの」

「松の木って、あの五葉松？」

妻は鋭い視線を庭の中央部を占領する松に向け、深く頷いた。

それは父が丹精を込め、その後は夫を偲《しの》んで母が愛《め》でた松だった。私は黙した。切る、という事自体思いもよらぬ事だった。

「切ってどうするの」

「根っ子も掘り起こして欲しいの。そこに花を植えるの。季節ごとに違った花を植えるの。年中咲き乱れるお庭にしたいの」

いつもと違う、まるで初めて耳にするような言葉の抑揚だった。

私は返事をためらった。確かに父も母もすでにいない。母の形見分けは姉の領分だろう。残った物は処分するしかない。松や庭石に未練がある訳ではなかった。しかしそれらは私の幼い頃から、妻を娶《めと》る以前からそこにあった。樹齢は何十年になるのだろうか。少なくとも私の年齢を越えてこの庭に存在し、見る度に父の事を思い起こさせた五葉の松。

「切ってくれるわね」

強い口調に変わった。妻にすれば私の感傷など関係なかった。今ようやく気兼ねなく自分の意志を発揮出来る立場になったのだ。私は力なく、今から？　と尋ねた。それは私にとって命令に等しかった。そしてここで断る事は家庭の不調和にもなりかねなかった。私は頷くしかなかった。

奥の納戸として使用している部屋に入った。火の気のない寒気の中、私は父が使っていた庭仕事用の剪定鋏《せんていばさみ》や麻縄、木槌や釘なども入っている箱から、両方に大小の歯の付いた平たいノコギリを探し出した。長らく使った事のないそれは黒に近い茶色に歯先まで変色していた。

私はノコギリを振りかざし庭に降りた。普段まじまじと見る事のなかった庭。剪定鋏を右手に持ち、わずか枝の先っぽを切るのに顔を近付け、そして身を反るように遠ざけ、時には縁側から立って眺め、座って見詰め入る。そんな父の姿がよぎった。私は振り返った。妻は顔を傾けるように頷いた。伸びた枝振りのどこから切れば良いのだろう。一瞬の躊躇《ちゅうちょ》はそれだけではなかった。それでも私は意を決し、取りあえず右に伸びた一本にノコギリの歯を当て、とにかく引いた。刃先が定まらず大きくずれた。五葉の松に軽くあしらわれた感じがした。背後から馬鹿にした妻の失笑が聞こえたような気がした。今度は両手により強く力を込め、押し当て引いた。今度は歯先が喰《く》い込み、僅《わず》かひと引きでノコギリは止まった。抜き取ろうとしたが動かなかった。柄を微《かす》かに上下に動かし、こじるように取った。それだけで息が上がった。

私は総てを錆《さ》びたノコギリの所為《せい》にしようと苦笑し振り返った。妻は依然として表情を崩すことなく見詰めている。私は再び先程の僅かばかりに生じた切り跡に歯先を当てた。腰を落とし上半身ごと手前に引いた。切れ込む感触があった。押した。そして引いた。ノコギリが木肌に切れ込んでゆく。

ごめんね、と心の内で叫んだのは父に向かってか母に向かってか。それとも数十年生き続けた五葉松に対してか。錆びついた歯の切れ味は悪かった。私は息を止め力一杯引き押した。すぐに息が切れ、それでもようやく一本を切り落とした。それだけでも松の全体のバランスは悪くなる。あの世で顔をしかめる父の表情が浮かぶ。あの松は当時十数万円もしたのよ、と自慢ではなく口惜しそうに愚痴っていた母の唖然《あぜん》とした顔が見える。

　妻は松の木を切り倒し、根っ子を掘り起こせ、と言う。さすがに庭石や灯篭は私一人の手には負えない。本当ならばこの古ぼけた家を取り壊し、母の存在を消し去った自分の理想の家を建てたいのかも知れない。しかしハンコ店の現状、とりわけ個人経営の零細な商売は、昨今の社会構造の変化に対応できず埋没しようとしている。ハンコその物の需要は減少したし、もはやコンピューター内蔵の機械は、職人が一週間かかる仕事をわずか数分で仕上げてしまう。

　父の時代はとっくの昔に終わった。今迄頭を抑え付けられていた母もいなくなった。子供達もそれぞれ独立した。残るは私と妻の二人だけの生活。総てが変わっても良いのかも知れない。いや、変えねばならないのかも知れない。妻は庭の片隅に好きな花を咲かす、と言う思いを長い年月胸の中に押し込めていたのだ。私はその執念にも似た妻の心情を思った。五葉松がなんだ。庭石がなんだ。私は手を休め縁側を見る。そこにはサッシ戸に左手を添え、私を見詰める妻が立っている。

　私は大きく頷くと、再びノコギリを持った手に腕に力を込め、枝を切る。そして丸裸にした根元を切り倒す。根っ子を掘り起こしさら地にする。季節の風は冷たいのに汗が滲《にじ》む。息が上がる。それでも私はノコギリを引く。

お庭に花を…

飯田労（いいだ・ろう）
1949（昭和24）年金沢市生まれ。文芸同人誌『渤海』『彩雲』『じゅん文学』を経て、現在は『繋』所属。2017年に第6回竹多文学賞優秀賞、21年に第15回全国同人雑誌最優秀賞・まほろば賞。金沢市在住。

新作小説を募集

北國文華掲載

小誌は、新作の小説を発表する場を充実させていきます。鏡花、犀星、秋声をはじめ、多くの作家を生み出してきた文学土壌にふさわしい、清新な才能の登場を待望しています。意欲作を応募してください。

次回締め切り（2024年春号/第99号） 1月12日㈮

（第100号の締め切り…2024年4月12日㈮）

応募規定

- ●未発表の作品に限ります。
- ●原稿枚数は400字詰原稿用紙で10～40枚。
データ原稿の場合、縦書きにプリントしてください。1行の文字数や1ページの行数は自由ですが、400字詰原稿用紙に換算した枚数を必ず明記してください。
- ●表題、本名（筆名）、住所、電話番号、年齢、職業、略歴（生年、出身地、所属同人名など）を明記してください。
- ●採用する場合は、北國文華編集室からご連絡します。採用作には小誌の規定により謝礼をお贈りします。
- ●掲載作品の版権は本社に帰属します。
- ●応募作品の原稿は返却しません。コピーするなどしてください。
- ●募集要項、ならびに選考の結果についての問い合わせには応じません。ご留意ください。

宛先
〒920-8588 金沢市南町2番1号
北國新聞社 北國文華編集室 ☎076-260-3587
syuppan@hokkoku.co.jp

北國文華 定期購読 バックナンバーのご案内

購読料（消費税込）

●**3年間**（年4冊、計12冊） **18,900円**

年間購読（3年）なら **2,220円お得！** 定価1冊1,760円、3年間12冊21,120円のところ

年間購読の送料は当社負担。
お支払いは現金、カード払いで

お申し込みは簡単!!

❶お電話で… TEL 076-260-3587
［出版部直通］受付時間／土日祝日を除く10：00～18：00

❷インターネットで… 北國文華 検索
「定期購読を申し込む」から必要事項を入力してください。

❸メールで…syuppan@hokkoku.co.jp
件名を「北國文華定期購読希望」とし、お名前とお届け先の住所、電話番号をご記入ください。こちらから確認メールをお送りいたします。

＜バックナンバーのご案内＞

2023秋 第97号

特集 国民文化祭 **皇室の至宝を見よ**

「歴史の宝物庫」に物語あり／本誌編集室
【インタビュー】皇室との距離がぐっと縮まる／青柳正規
【インタビュー】工芸王国に勇気と展望与える／宮田亮平
「文化絢爛」担う　芸文協の歩み／本誌編集室

【連載】赤羽萬次郎が生きた時代④／出崎哲弥
【寄稿】生誕150年　近代を拓いた先人の肖像③
日置謙／増山仁

【好評連載】**小説千代女 ⑯産着 ／子母澤類**

2023夏 第96号

特集 生誕120年 **棟方志功 北陸の足跡**

棟方志功と「県境の先」／本誌編集室
【インタビュー】北陸の雪、嫌いじゃなかった／石井頼子
【寄稿】棟方志功と福光／尾山章

◆復刊25年特別寄稿　「文華」に宿る文芸復興／上田正行
【連載】赤羽萬次郎が生きた時代③／出崎哲弥
【寄稿】生誕150年　近代を拓いた先人の肖像②
野口遵／増山仁
■追悼　竹山洋さん　**それからの「利家とまつ」**

お問い合わせ
北國新聞社出版部 TEL（076）260-3587 北國文華 検索
〒920-8588 金沢市南町2-1　Eメール syuppan@hokkoku.co.jp

読者の声

文化立県の厚い歴史

北國文華第97号の「『文化絢爛《けんらん》』を担う　芸文協の歩み」を読ませていただきました。

１９９６（平成８）年に石川県内の15団体が思いを寄せ合い石川県芸術文化協会が設立され四半世紀以上の歳月を経ました。さまざまな分野の団体が県内を横断する形で組織化され「文化立県」の礎《いしずえ》となったことに、厚い歴史を感じております。

還暦を過ぎた私は、この機会に何らかの形で郷土の文化や芸能に関心を持てるようにしたいと考えています。心のオアシスを求めて人生を楽しんでいけたらいいと思いました。

上村雅史　61歳（七尾市）

至宝に引き込まれ

特集「国民文化祭　皇室の至宝を見よ」を楽しく読みました。特に伊藤若冲《じゃくちゅう》の国宝「動植綵絵《どうしょくさいえ》　群鶏《ぐんけい》図《ず》」の鮮やかさに思わず引き込まれました。

若冲は「江戸時代に活躍した天才絵師」と言われていることぐらいしか知りません。鶏のとさかの赤色が鮮やかで、強烈な印象を受けました。

ほかにも表紙の「萬歳楽置物《まんざいらくおきもの》」は柔らかい雰囲気の焼き物で、九谷焼で作られていると知って石川県民としてうれしくなりました。「太平楽《たいへいらく》置物」は舞楽の演者のオーラを感じました。金工で、あまり接したことのない分野の作品なので実物を目にした時の想像が膨らみます。まさに至宝と呼ぶのにふさわしいと思いました。

太田松枝　75歳（白山市）

どうする？　ハルハル

水橋文美江先生の小説「恋なんて、するわけがない」が毎号楽しみです。登場人物の会話中心でストーリーが進み、肩の力を入れずにさらりと読むことができます。

実在の人名や作品名が作中に登場するのもリアルで、まるで春子が実在していて、彼女のＳＮＳ（会員制交流サイト）を見ているよう。「主婦友」だったら話題豊富で盛り上がることでしょう。

上京後の展開が予想外で飽きません。ハルハルこと春子が金沢の家庭に戻ったらどうなるのか、今から楽しみにしています。

堅田なつき　52歳（白山市）

編集室から

◆尾山神社で営まれた奉告祭《ほうこくさい》。19代当主である前田利宜《としたか》さんのプロフィルが書かれた紙をもらいました。好きな食べ物はコーヒー、そば、肉、ラーメン、焼き鳥…。親近感がわいてきました。筆頭は「イノダコーヒ」社長としての責任感でしょうか。嫌いなのはカボチャ、このわた、貝類（生ガキは除く）だそうです。「最後の晩餐《ばんさん》」としては、かつ丼を挙げていました。

◆今号の特集は難産でした。ある識者に取材を申し込むと「大名家ですか。現代は身分制度のない時代です。信念としてお断りします」と見事に振られてしまいました。それでもやはり、加越能の歴史は、前田家によって色彩が豊かになったのは間違いありません。明治の北國新聞が記した「旧恩《きゅうおん》」の大きさを感じながら、加賀百万石を継承する新当主を眺めていました。（宮）

〈ご意見・作品を募集〉

◆本誌記事へのご意見、ご感想などをお待ちしています。300字以内にまとめ、住所、郵便番号、氏名、年齢、職業を明記のうえ、郵便で出版部宛てにお送りください。原稿は内容を損なわない範囲で一部修整させていただく場合もあります。

◆小説（194ページ参照）のほか評論、研究論文、随筆など幅広い作品を募集しています。

400字詰原稿用紙20～30枚で、未発表のものに限ります。原稿の返却には応じられませんので、必ずコピー等をお取りのうえ、出版部宛てにお送りください。

次号の発売は2024（令和6）年3月1日（金）です。

北國文華 第98号

発　行　2023（令和5）年12月1日
編集人　宮下岳丈
発行所　北國新聞社
金沢市南町２番１号
〒920-8588
TEL 076-260-3587［出版部直通］
FAX 076-260-3423［出版部直通］
郵便振替 00710-0-404
北國新聞社ホームページ https://www.hokkoku.co.jp/
出版部電子メールアドレス syuppan@hokkoku.co.jp

ISBN978-4-8330-2299-6

明治15年（１８８２年）の創業以来、私達は紙を通じて
社会に心地よさを提供してきました。
近年、電子化や軽包装化により、ペーパーレスが顕著ですが、
紙の持つ機能や価値を掘り起こせば、紙需要の可能性は
まだまだ無限であると考えています。
コシハラは次の１００年を見据え、紙の新たなる価値の創造を
通じて持続発展社会の構築に寄与して参ります。

代表取締役社長　越原寿朗

北國文華

第98号 目次